LE VIF DU SUJET

Données de catalogage avant publication (Canada)

Mègre, Bruno, 1966-
Les enjeux de l'immigration au Québec : histoire d'un Kidnapping culturel
(Le Vif du sujet)
Présenté à l'origine comme mémoire (de maîtrise de l'auteur-Université du Québec à Montréal), 1995.
Comprend des ref. bibliogr. et un index.

ISBN 2-921468-22-0

1. immigrants - Intégration - Québec (Province) 2. Multiculturalisme - Québec (Province). 3. Québec (Province) - Politique sociale. 4. Acculturation - Québec (Province). I.Titre. II.Collection.
JV7290.Q8M43 1998 305.9'0691 C98.940620-2

Illustration de couverture : Laurent Lavaill

©Balzac-Le Griot éditeur, 1998
C.P 67. succ Delorimier
Montréal, Québec, Canada
H2H 2N6

Dépôt légal — 2ème trimestre 1998
Bibliothèque nationale du Québec
ISBN 2-921468-22-0

Cet ouvrage a été subventionné en partie par le Conseil des Arts du Canada et la Sodec.

Nous reconnaissons l'aide financière du gouvernement du Canada par l'entremise du Programme d'Aide au Développement de l'Industrie de l'Édition pour nos activités d'édition.

Cet ouvrage a été publié grâce à une subvention des Programmes du multiculturalisme du ministère du Patrimoine canadien.

LES ENJEUX DE L'IMMIGRATION AU QUÉBEC
Histoire d'un kidnapping culturel

Bruno Mègre

Les enjeux de l'immigration au Québec

Histoire d'un kidnapping culturel

Balzac - Le Griot éditeur
Montréal • Paris

À ma famille et à mes amis du Québec et d'ailleurs. À tous mes étudiants. À Sergio et à sa famille.

Je tiens à remercier, tout particulièrement, Manu et Gina pour leur précieuse aide.

Chapitre 1

La culture au centre du débat

L'intégration peut-elle être définie comme un concept reposant sur des interprétations subjectives de la réalité? Si tel est le cas, les gouvernements qui en font une pièce de leur mécanisme politique ne peuvent prétendre se défaire du regard porté par l'homme sur un fait de société d'une si grande envergure et dont l'enjeu concerne la population dans son ensemble.

À l'aube de l'an 2000, dans quel but doit-on favoriser une politique d'intégration? Mais surtout, comment mettre en place cette politique? Comment allier structure officielle et interprétation subjective d'un concept?

L'intégration est devenue un débat national dans les sociétés occidentales, car les populations assistent à une transformation, souvent radicale, de leur société du fait même des apports culturels étrangers dus aux migrations internationales. Afin de pallier tout choc culturel brutal, souvent lourd de conséquences, et de garder une homogénéité sociale, les gouvernements des sociétés d'accueil s'arment de projets d'intégration qui, peu à peu, relèvent de la doctrine, pour ne pas dire du dogme: multiculturalisme au Canada, interculturalisme au Québec, politique d'assimilation aux États-Unis, modèle républicain en France... Mais quelle est la part d'application fonctionnelle dans la vie courante de telles définitions de concepts quasi philosophiques? La question est cruciale car la difficulté d'appliquer à l'intégration une définition restreinte est bien réelle étant donné qu'elle révèle deux contextes d'interprétation à prendre en compte dans l'élaboration d'une telle politique: l'immigration (et toutes ses composantes) et la communication interethnique. Ainsi, la sélection des candidats, le choix du modèle d'intégration, la culture nationale, les cultures minoritaires et la communication interethnique se présentent comme autant de thèmes combinés les uns aux autres par les ministères compétents afin d'édifier une politique gouvernementale d'intégration. Tous les thèmes abordés demandent, de la part des dirigeants concernés, une analyse contextuelle, à savoir la prise en considération du domaine d'interprétation qu'est l'immigration, étant elle-même composée de la sélection et de l'intégration des étrangers, culturellement différents, désireux de s'installer dans un pays donné. En fait, ces notions générales, souvent appliquées à l'immigration (intégration, communication interethnique, culture minoritaire, culture majoritaire), souffrent de toutes les maladies qui contaminent les concepts de grande globalité: la polysémie, l'instabilité dans le temps et le niveau de référence.

Mais la question de la culture demeure au centre de ce débat car elle apparaît comme un facteur déterminant dans l'orientation donnée à l'édification d'une politique officielle d'intégration, dans la mesure où la communication interethnique est avant tout communication culturelle.

Au Québec, cette communication interethnique revêt davantage la forme d'une négociation interculturelle puisque le gouvernement procède, au fil des années et conformément au contexte législatif qui l'exige, à un aménagement de la structure de ce débat national. En effet, cette structure à caractère évolutif se forme à partir des consultations entre les différentes instances gouvernementales et représentatives des «communautés culturelles» qui s'avèrent, ne l'oublions pas, une création du gouvernement provincial, comme c'est le cas du Conseil des communautés culturelles et de l'immigration et du ministère des Affaires internationales. Le concept de culture en matière d'intégration, au Québec comme dans d'autres sociétés d'accueil, est à rattacher au contexte social et politique de la société, sans toutefois faire abstraction de la création artistique, élément déterminant dans le processus identitaire d'une société ou d'un groupe ethnique. Cependant, il ne faut pas perdre de vue qu'en matière d'intégration tout se fonde sur une interaction entre deux acteurs (le gouvernement et les nouveaux arrivants) dans une situation de négociation bien précise, à savoir le cadre social quotidien de l'intégration même. Ceci peut se vérifier dans les actions de la vie courante aussi concrètes que celles de bouger, de penser, de s'exprimer, de résoudre les problèmes... Cette culture, propre à chaque société, mais également commune à toutes les sociétés, n'est pas innée mais acquise et constitue une véritable structure de communication qui permet de définir et de délimiter culturellement une société. L'acquisition d'une culture est alors rendue possible par référence à des modèles microsociaux (tels la famille) mais également macrosociaux, lorsque nous considérons la société dans son ensemble qui s'organise autour de codes culturels et de règles générales. Grâce aux archétypes culturels institués au rang de structures de communication, chaque individu observe, analyse, prévoit et vérifie le fonctionnement des phénomènes. Edward T. Hall affirme, à ce propos, qu'en Occident la culture est à définir comme une série de modèles standards de pensées et de comportements[1].

En effet, au Québec, comme dans un grand nombre de sociétés du monde occidental, tous les aspects de la culture constituent un système au sein duquel les deux acteurs en présence (gouvernement représentatif et nouveaux arrivants) seront amenés à négocier. La politique sociale, la politique linguistique, la politique culturelle et la politique économique ont toutes été définies en fonction d'un exemple culturel propre aux démocraties occidentales hérité des modèles antiques, classiques et contemporains. C'est cette structure sociale, mais aussi culturelle qui va permettre à la société de fonctionner et de mettre en place toutes les sphères publiques de négociations. Ainsi, l'école, les tribunaux, les médias, l'administration, même s'ils correspondent à un système social capitaliste occidental, n'en demeurent pas moins les véhicules des valeurs propres à la société québécoise et les outils de référence de la population, toute origine ethnique confondue.

Si la culture est communication, donnera-t-elle à chacun la possibilité d'intégrer une culture étrangère? La langue semble s'avérer le meilleur outil pour percer les secrets culturels des autres et les acquérir dans le but de faire sienne la culture réceptrice. Cette définition de la langue-outil a d'autant plus de poids que nous nous trouvons au Québec, territoire culturellement différent du reste du pays, qui accueille près du tiers des immigrants et des

1.Edward T. Hall, *Au-delà de la culture*, Seuil, Paris, 1979, P. 17 et 18.

réfugiés, et qui essaie d'utiliser sa culture comme moteur de l'intégration, dans le but de donner aux immigrants une image réelle de ce qu'est le Québec par rapport au reste du Canada.

En effet, au sein même de cette culture commune, de cette culture moteur, se trouve la langue, véritable composante culturelle. Ne l'oublions pas, la langue ne se veut pas seulement un simple outil de communication qui permettrait le transport des valeurs culturelles et identitaires car, sous l'angle social, elle devient un outil d'organisation. Elle fait partie intégrante de la culture, elle lui est intrinsèque parce qu'elle constitue un élément identitaire de toutes les cultures et ce, au même titre que la religion et l'ethnie (si nous nous en tenons aux théories anthropologiques). Critère identitaire parmi d'autres, certes, mais qui peut être extrait de cette totalité complexe qu'est la culture: une fois isolée, elle devient à son tour totalité complexe avec un système et une structure souvent identifiables à la culture à laquelle elle se rattachait.

Langue philosophique, langue physique, langue géographique, elle devient témoin de la réalité sociale lorsqu'elle est appréhendée dans un contexte culturel de négociation entre les peuples. C'est aussi pour cette raison évidente, de caractère culturel unique, que la langue peut constituer une barrière linguistico-culturelle entre les peuples. Les nouveaux arrivants au Québec sont, en effet, confrontés à cette difficulté dès le départ, lorsqu'ils ne parlent pas la langue de la majorité linguistique. Ils doivent contourner un obstacle de taille pour que puisse s'instaurer une communication, voire une négociation, entre la société réceptrice et eux-mêmes. Le caractère interculturel de cette négociation est donc possible, *a priori*, mais celle-ci sera considérablement restreinte selon les différences entre les cultures mises en contact et selon les capacités de chaque individu à communiquer en français.

Toutefois, une fois le code linguistique acquis, il reste tout l'aspect sémantique propre à chaque langue qui devient une barrière culturelle supplémentaire à franchir. La sémantique, paramètre de la structure linguistique, constitue également un aspect dissociable du code linguistique, tout comme la grammaire, la syntaxe, la phonologie, la compétence discursive ou le lexique, car la sémantique s'avère le centre névralgique de la culture d'une société, ce qui lui permet de fondre sa langue à sa réalité culturelle. Mais cette dissociation apporte, par la même occasion, une contradiction. Le code linguistique s'enseigne car il dispose d'un cadre didactique précis alors que la sémantique dispose d'une structure propre à la culture et non à la langue, la sémantique étant avant tout culture. La langue s'apprend donc selon des règles précises, ce afin d'être acquise et usitée de manière fonctionnelle alors que la culture, elle, ne peut s'apprendre pour être utilisée de manière pragmatique.

Nous pourrions illustrer ceci par des exemples concrets. En effet, deux francophones ne possèdent pas systématiquement le même humour selon qu'ils viennent de telle ou telle zone géographique. Le Belge, le Québécois et le Français ne partagent pas le même champ sémantique bien qu'ils emploient au moins un même outil linguistique, en l'occurrence la langue française, ainsi qu'une partie de leur histoire. Le nouvel arrivant francisé, de son côté, n'a pas non plus les mêmes références culturelles bien qu'il ait acquis la langue dans un lieu donné, étant donné qu'il ne possède pas le même bagage culturel et historique que le locuteur francophone de naissance.

La sémantique répond donc à la culture dans son ensemble, c'est-à-dire au monde des expériences communes d'un groupe culturel défini. De ce fait, la langue devient bel et bien un guide de la réalité sociale, car elle se rapporte sémantiquement à la culture qu'elle véhicule et permet ainsi de lui offrir une caractéristique supplémentaire: elle va servir avant tout d'outil de communication à tous ceux qui vont entreprendre de s'installer au sein du territoire qu'elle délimite linguistiquement et socialement.

Chapitre 2

D'un Québec à l'autre

Depuis la création de la Charte de la langue française (loi 101) au Québec, en 1976, le gouvernement provincial a décidé de faire du français l'outil premier de l'intégration des immigrants et des réfugiés politiques venus s'installer dans la province. Une politique d'intégration est alors mise sur pied au cours des années qui suivent: les revendications sociales et linguistiques permettent l'épanouissement de la culture québécoise qui devient alors le moteur de ce vaste chantier de l'intégration.

En effet, dès la fin de la Révolution tranquille, les Québécois francophones conquièrent leur indépendance face au pouvoir religieux et à la mainmise anglophone sur l'économie de la province. En quelques années, le Québec passe du stade de société traditionnelle (conservatrice, religieuse et patriarcale) à celui de société moderne s'inscrivant dans un contexte occidental d'économie de marché, de renouveau culturel, de révolutions des mœurs, et surtout, d'ouverture au monde extérieur, notamment à l'immigration.

Le ministère de l'Éducation est créé en 1964, l'Église catholique perd le contrôle étroit qu'elle exerçait sur le pouvoir officiel, les universités bénéficient de nouvelles et abondantes subventions de l'État, la fréquentation scolaire connaît un essor considérable... Le Québec se réveille, en retard par rapport au reste du Canada, mais il rattrape le temps perdu sur le plan économique et social.

L'arrivée au pouvoir du libéral Jean Lesage en 1962, donne la possibilité aux Québécois francophones de reprendre les rênes de leur économie, de leur structure sociale et de transformer la société ethniquement homogène en une véritable société pluriethnique, bien que celle-ci soit essentiellement limitée à l'île de Montréal. Les trois grands groupes qui constituaient la société du Québec, à savoir les francophones, les anglophones et les Autochtones, doivent désormais compter sur une nouvelle force démographique venue du monde entier.

En effet, depuis 1968, le nombre d'immigrants qui s'est installé au Québec est resté sensiblement le même, bien que l'immigration ait connu, selon les périodes, des années fastes (35 000 entrées en 1968 et en 1989, 40 000 en 1990 et 51 000 en 1991) et des années creuses (une moyenne de 16 000 entrées entre 1972 et 1986). Cependant, l'immigration n'aura jamais connu d'année au solde migratoire négatif car elle a toujours été considérée comme une source active et dynamique de main-d'œuvre et de nouveaux talents.

Vers le début des années 90, les Libanais représentaient à peu près 13,3 % de la population, les Haïtiens 5,9 %, les Chinois de Hong Kong 3,7 %... et ces chiffres n'ont cessé de croître. Cette population vient peu à peu transformer le paysage ethnique du Québec et oblige continuellement le gouvernement provincial à adapter une politique d'intégration à la hauteur de sa politique d'immigration. L'intégration devient peu à peu un enjeu électoral et tient une place fondamentale dans la planification économique de la province, voire du pays.

Désormais, les Polonais, les Italiens, les Ukrainiens et les Portugais ne sont plus les seuls groupes culturels minoritaires: la structure économique change, certes, mais la structure sociale du Québec évolue également car la société doit dorénavant composer avec de nouvelles données démographiques et culturelles. Les immigrants nouvellement intallés ont déjà fait des enfants et ce sont ces derniers qui seront appelés sous peu, si leurs parents n'y ont pas encore été invités, à prendre en main les commandes de la province.

Omniprésente, la culture est, dès le départ, au centre de cette construction du Québec d'après 1968, et la revendication linguistique constitue l'un de ses principaux moteurs. En effet, la Charte de la langue française voit le jour en 1976 sous l'impulsion d'un vaste mouvement populaire qui a l'appui du gouvernement de l'époque: un événement heureux pour les francophones du Québec, un choc pour le reste du Canada. La langue française trouve enfin une aire de liberté, mais surtout une terre de justice. Devenue ainsi seule langue officielle de la province, elle doit se frayer un chemin long et périlleux dans tous les interstices de la société: on la dote du pouvoir de rejoindre uniformément la population et ainsi, de permettre cohérence sociale, économique et culturelle autour d'un concept de langue commune. L'anglais, remplacé au fur et à mesure par le français, perd du terrain dans le monde du commerce, de l'éducation mais également dans les relations professionnelles: il n'est plus la seule langue du pouvoir. Le nationalisme d'antan, des Patriotes aux messes dominicales, prend alors la forme d'un nationalisme universaliste car il permet, sous forme de revendications, de regrouper, non sans difficulté, la très grande majorité de la population autour d'une langue unificatrice. Les ambiguïtés du bilinguisme sont levées: l'anglais devient langue seconde et le français trouve une légitimité aux yeux des Québécois francophones, mais certainement aussi aux yeux de nombreux immigrants.

Ce renouveau offre enfin au Québec une logique d'existence sur le plan culturel et permet de poser les fondations d'une société moderne, pendant que les mouvements migratoires convergents s'accélèrent et changent de manière radicale le visage ethnique de la province. En effet, cette dernière se montre plus ouverte qu'au temps de Maurice Duplessis, où nombre de nouveaux arrivants étaient d'office exclus des sphères scolaire, sociale et économique, en raison de leur langue d'origine ou de leur obédience religieuse. En ce temps-là, la langue unifiait une partie ethniquement, linguistiquement et religieusement homogène de la société et en excluait, par le fait même, tous les autres membres, c'est-à-dire les non-francophones et les non-catholiques. La langue était alors considérée comme un véhicule identitaire qui ne faisait que transporter les valeurs et les réalités d'un réseau culturel fermé sur lui-même.

Dans le Québec moderne, les gouvernements successifs tentent donc de faire de la langue française un élément unificateur qui donne à chacun sa place, son rôle qui, surtout, lui octroie un lieu de parole. Le Québec acquiert donc, sur le plan linguistique, au niveau national et international, une reconnaissance identique à celle d'autres États qui ont choisi leur langue officielle en fonction de leur histoire et dans l'optique de faire fonctionner la société grâce à une langue définie. Théoriquement, ce lieu créé par le langage permet, sous le couvert de la démocratie, une forme contemporaine d'agora. Ainsi, la langue française n'est plus seulement une simple caractéristique culturelle appelant à la souche et à l'origine, mais avant tout un outil unificateur qui délimite un lieu, un espace dans le temps[2].

Cette impulsion culturelle et linguistique fortement teintée de nationalisme apporte de vastes réformes sociales et transforme le Québec en société plus ouverte et plus réceptrice. Un grand nombre d'injustices sociales a été enrayé, et le Québec se dote au fil du temps d'une structure sociale composée d'instances qui prônent une justice égale pour tous et qui légifèrent en matière de respect des droits de la personne, de réduction des inégalités économiques, de racisme et de discrimination.

À ce titre, le désir de mettre en place une politique d'intégration est bien réel, surtout depuis 1986, alors que l'Assemblée nationale adopte la Déclaration sur les relations interethniques et interraciales. Le Québec n'a plus, en effet, le choix de vivre en autarcie car il se situe dorénavant dans un contexte historique et sociopolitique différent de celui des années de Duplessis: l'émancipation économique, politique et culturelle doit faire son chemin.

De par sa situation de province d'un pays signataire des accords de Genève relatifs à l'acceptation des réfugiés politiques, et face au contexte mondial des mouvements migratoires des années 60-70, le Québec se trouve ainsi

2.Anne Cauquelin, *Aristote, le langage*, Paris, Presses Universitaires de France, 1990, p. 200.

dans l'obligation d'ouvrir ses portes. Parallèlement à cela, il n'a pas d'autre choix, s'il ne désire pas rester en marge des autres provinces du Canada, que de relever des défis démographiques, économiques et industriels par le biais de l'immigration.

Afin que cette transition sociale s'effectue de manière optimale et harmonieuse, les gouvernements successifs du Québec, à partir des années 60, élaborent des structures d'accueil pour les réfugiés politiques et les immigrants, dans le but de rendre fonctionnelle et apte au marché de l'emploi cette nouvelle population venue de l'extérieur du pays.

Dès leur arrivée, les nouveaux arrivants sont pris en charge, dans une certaine mesure, par le gouvernement de la province. Ils ont tous droit, d'une manière égale, aux prestations du ministère du Revenu (Bien-être social), aux soins médicaux gratuits, à des cours de français et à un accès aux organismes d'entraide financés par les fonds publics, comme par exemple les associations et les organismes sociaux. L'intégration devient donc un enjeu national, car elle doit correspondre à la situation imposée par l'immigration pour des raisons évidentes, et évoquées plus haut, de pragmatisme social et économique dans le but d'amener rapidement cette nouvelle population sur le marché du travail dans de bonnes conditions. Cependant, cette opération prend source officiellement dans la sélection des candidats à l'établissement au Québec. Une selection effectuée selon des critères socio-économiques en ce qui concerne un premier volet d'un tout appelé banalement «l'immigration».

En 1968, la loi constitutive du ministère de l'Immigration lui donne pour fonction de «favoriser l'établissement au Québec d'immigrants susceptibles de contribuer à son développement et de participer à son progrès». En 1978, l'Entente Couture-Cullen confirme au Québec son pouvoir sur la sélection des candidats désirant s'installer dans la province. En 1981, le ministère de l'Immigration devient le ministère des Communautés culturelles et de l'Immigration (MCCI) qui doit «assurer la planification, la coordination et la mise en œuvre des politiques gouvernementales relatives à l'épanouissement des communautés culturelles et à leur participation à la vie nationale». Quelques années plus tard apparaît le Conseil des communautés culturelles et de l'immigration, véritable partenaire du MCCI des politiques d'intégration engagées par le gouvernement. Enfin, l'Accord Canada-Québec signé le 5 février 1991, relatif à l'immigration et à l'admission temporaire des aubains, entérine les critères à partir desquels sont sélectionnés les immigrants et les réfugiés politiques. Autre aspect capital de cet accord: son objectif, qui est «de préserver le poids démographique du Québec au sein du Canada et d'assurer une intégration des immigrants et des réfugiés politiques dans la province respectueuse de son caractère distinct[3]».

Ainsi, en ce qui concerne les immigrants, le Québec s'avère le seul responsable de leur sélection, alors que le gouvernement fédéral se charge de leur admission. Les immigrants doivent donc répondre à des critères définis par le gouvernement provincial et, de ce fait, le gouvernement fédéral ne peut, d'aucune manière, jouer un rôle déterminant dans le choix de ces critères.

C'est le Canada qui détermine encore qui devient un réfugié politique, au sens de la Convention des Nations unies relative au statut des réfugiés, mais il ne peut admettre un réfugié à destination du Québec dans le cas où celui-ci ne répondrait pas aux critères de sélection de la

3.*Énoncé de politique en matière d'immigration et d'intégration*, ministère des Communautés culturelles et de l'Immigration du Québec, 1990, p. 13.

province. Une exception est faite lorsqu'une personne qui demande protection au Canada se trouve déjà au Québec.

De plus, le Canada s'engage à se retirer des services d'accueil et d'intégration linguistique qui sont offerts par le Québec aux résidents permanents présents dans la province. Tout de même, il se réserve le droit d'offrir aux nouveaux citoyens canadiens des services reliés à sa propre politique d'intégration — le multiculturalisme — et de promouvoir le maintien et la valorisation du patrimoine multiculturel des Canadiens.

Multiculturalisme, interculturalisme, convergence culturelle, communautés culturelles, société distincte, culture nationale ... Autant de concepts qui se dessinent au fil des années et qui propulsent le Québec dans une bataille de l'intégration contre le reste du Canada. Alors que ce dernier adopte une politique d'intégration multiculturaliste, le Québec, lui, se tourne vers une politique interculturaliste, en réponse au choix du gouvernement fédéral. Malgré les divergences au niveau de l'interprétation des politiques d'intégration qui opposent les deux parties, des ressemblances sur le concept de communautés culturelles persistent.

En effet, le gouvernement québécois, tout comme son homologue canadien, aborde le thème de l'intégration des immigrants et des réfugiés politiques à la société d'accueil sous l'angle de l'adaptation des «communautés culturelles», donc de groupes culturellement homogènes. Cependant, des différences d'interprétation en matière d'intégration existent bien selon l'approche multiculturaliste du Canada ou l'approche interculturaliste du Québec même si dans les deux cas, il est question de notion de communautés culturelles. Le gouvernement fédéral, de son côté, n'a pas eu de mal à tracer une route à suivre par tous les nouveaux venus pour que l'unité canadienne soit préservée et ce en réponse aux velléités indépendantistes du Québec. Avec le multiculturalisme, Ottawa a voulu développer la valeur et les droits de chacun en considérant le groupe culturel de chaque individu comme le lieu et la condition de l'épanouissement de celui-ci. Diversité culturelle, égalité culturelle et liberté culturelle sont les trois mots clés de l'idéologie multiculturaliste telle qu'elle fut élaborée sous Pierre Elliott Trudeau en 1971 qui, à ce propos, n'hésitait pas à déclarer: «Il n'y a pas de culture officielle au Canada». Ainsi, les minorités culturelles ne devaient pas voir leurs droits bafoués et occultés par la présence massive des deux «grosses» communautés culturelles, les anglophones et les francophones. Mais officialiser une «non-culture nationale» dans le but de respecter les autres cultures, tout en les englobant dans un concept fourre-tout, déplaisait aux francophones du Québec qui ne se considéraient pas comme une minorité culturelle comme les autres. Les Québécois ont donc vu dans le multiculturalisme une manœuvre pour noyer leurs aspirations culturelles et pour ne pas reconnaître leurs droits statutaires de peuple fondateur.

Afin de prendre position sur cet aspect de la question, le Québec a mis sur pied une politique parallèle à celle du gouvernement fédéral. Le fait de définir une politique interculturaliste peut être perçu comme une façon de mettre dos à dos deux notions nationales d'intégration culturelle.

En effet, les différences entre le multiculturalisme et l'interculturalisme sont très profondes. Le premier privilégie les droits individuels alors que le deuxième met de l'avant la nécessité de défendre les droits collectifs. Au Québec, tous les groupes culturels doivent former une seule communauté caractérisée par l'interdépendance des groupes et la cohérence des objectifs poursuivis par la société dans son ensemble. C'est-à-dire que les groupes sont dans l'obligation de rester liés de façon indissociable à leurs origines et de participer à un projet culturel collectif, «la culture (québécoise) étant le facteur primordial de solidarité et de cohésion des individus et des groupes sociaux».

Cette politique interculturaliste, héritière de la convergence culturelle (concept qui a précédé la notion d'interculturalisme), prône le rassemblement de la population, toute origine confondue, autour de la culture souche dominante, à savoir la culture québécoise francophone. Les immigrants et les réfugiés politiques ne doivent cependant pas rompre leurs liens avec leur culture d'origine, car celle-ci doit justement servir à enrichir la culture de souche (qui se définit alors comme une culture «tronc commun»).

Les immigrants et les réfugiés politiques se retrouvent ainsi affiliés à des communautés culturelles selon leur origine ethnique et ce sont elles que le gouvernement va consulter pour prendre en compte, dans ses programmes d'interventions, les revendications relatives au processus d'intégration de tel ou tel groupe ethnique.

En 1990, le gouvernement publiait son *Énoncé en matière de politique d'immigration et d'intégration* qui allait lui permettre d'aller de l'avant dans sa volonté de moderniser et de regrouper la société québécoise autour de principes d'homogénéisation sociale, économique mais surtout culturelle. En 1991, un plan d'action gouvernemental, là encore en matière d'immigration et d'intégration, était mis en place pour préparer le Québec, entre 1991 et 1994, à franchir de le cap de l'an 2000 en tant que modèle de société pluriculturelle.

Chapitre 3

Quel modèle d'intégration choisir?

La culture est un des moteurs de l'intégration, la langue est un de ses instruments. Cependant, l'ancrage des nouveaux arrivants à la culture de la société d'accueil est-il une prérogative à leur intégration? L'intégration culturelle est-elle une fin en soi? Peut-on acquérir une nouvelle culture comme on apprend une langue étrangère?

Autant de questions qui soulèvent un débat de fond sur les orientations politiques choisies en matière d'intégration et qui remettent en cause le seul critère culturel désigné comme étant la condition nécessaire à une intégration harmonieuse des étrangers à une société d'accueil.

En parallèle à cette intégration culturelle, l'intégration fonctionnelle sera une alternative à l'autre forme d'intégration et la culture ne demeurera pas moins au centre du débat. En effet, nous entendons par intégration fonctionnelle toute négociation, entreprise entre les deux acteurs de la société, qui se situe à l'intérieur de la sphère publique d'accueil en rapport direct avec une définition pragmatique de ce modèle. Ainsi, la culture ne s'avère plus le seul moteur d'un modèle ou d'un processus d'intégration, mais devient simplement un moteur indépendant parmi d'autres, ceux-ci pouvant être économiques ou sociaux.

En effet, si toute langue comporte un aspect linguistique et un aspect sémantique, une corrélation pourrait être faite entre deux composantes similaires de la culture. La culture n'aurait-elle pas, elle aussi, un aspect acquis (à caractère sémiologique) lié aux facultés de l'esprit communes à un groupe ethnique déterminé et dont les membres partagent le même bagage historique, mais également un aspect acquis et inné lié au fonctionnement même de la société, à sa structure?

Tout comme la langue se structure selon des niveaux sémantiques et linguistiques (à rattacher à l'aspect pragmatique de la langue), nous pourrions affirmer que la culture s'organise autour de plusieurs strates allant de la culture innée à la culture imitée. L'acquisition d'une langue et d'une culture, en termes d'intégration, se ferait donc par niveaux de profondeur et de contextes interprétatifs.

L'aspect inné de la culture, en plus d'être préexistant à l'individu, serait donc évolutif et cumulatif en rapport avec l'histoire et les expériences communes au groupe ethnique majoritaire et récepteur, alors que l'aspect acquis s'avérerait un modèle contemporain (bien qu'il soit également évolutif, il est davantage perçu comme une conséquence historique dans le présent) applicable à tous les membres de la société, sans qu'aucune distinction ethnique ou culturelle ne soit faite. Toujours en milieu d'intégration, l'aspect acquis de la culture deviendrait donc une seconde culture adaptable à ceux qui tentent de s'intégrer et applicable à la société qui la structure. Vue sous cet angle, cette adaptation donnerait lieu à une nouvelle identité culturelle appelée, pour la circonstance, culture fonctionnelle.

Il ne s'agit pourtant pas de se défaire des caractéristiques propres à sa culture d'origine pour les remplacer par des nouvelles, mais simplement de pouvoir «fonctionner» (comprendre, interpréter, agir) dans un cadre culturel qui n'est pas le sien, grâce à des instruments, des outils, des pistes. L'intégration fonctionnelle ne s'appliquerait donc qu'au fonctionnement actuel de la société régi par une structure sociale et par des codes définis concernant l'utilisation d'une langue commune, d'un système scolaire commun, d'un système législatif commun et de règles de vie conformes à un modèle acquis par référence, depuis des générations. Il pourrait donc se définir à partir de critères propres à l'Amérique du Nord par opposition (ou comparaison) à d'autres modèles du monde (européen, américain, argentin, japonais, scandinave, allemand, ...). Ce type de politique d'intégration fonctionnelle met donc en avant des codes de vie standards culturels qui serviraient d'abord de références aux nouveaux arrivants et qui seraient, toutefois, propres à la culture majoritaire dominante.

De ce fait, celui qui arrive au Québec pour s'y installer aura à sa disposition des repères, presque des exemples, de vie et de comportements auxquels il pourra se référer afin d'uniformiser sa manière de faire à celle des membres de souche de la société d'accueil. Ceci lui permettra d'agir, dans la sphère publique, en conformité à la structure démocratique mise en place par une majorité blanche, catholique, francophone et nord-américaine. Il sera ainsi tenu de respecter les lois en vigueur et de se plier à certains devoirs exigés par les codes administratif et civique, institués en codes de vie. Les nouveaux arrivants devront donc, avant tout, s'adapter aux circonstances; le facteur temps étant celui qui conduira chacun d'entre eux vers une évolution naturelle de leur adaptation ou intégration.

Gina Stoiciu et Odette Brosseau[4], quant à elles, parleront d'intégration instrumentale, un concept à l'intérieur duquel nous retrouverons bel et bien l'idée d'outils (instruments) de références qui vont aider l'arrivant à s'adapter au cadre social instauré par la majorité dominante. Le nouvel environnement lui procure ainsi de nouveaux instruments qui seront nécessaires à sa survie et qui donneront, par la même occasion, au groupe dans son ensemble «une cohérence sociale en fonction de son modèle de société économique, politique et juridique». Ce cadre procurera donc, de cette manière, des repères et des balises à tous ceux qui désirent en faire partie et permettra une logique de développement (aux niveaux économique, social, juridique et culturel) à l'ensemble de la société, dans le but de lui assurer des lendemains meilleurs. Cette forme d'intégration, officialisée par un programme gouvernemental d'action politique, se limiterait donc à la sphère publique, c'est-à-dire à celle accessible par tous et par chacun, quelles que soient sa langue d'origine, sa nationalité, son appartenance ethnique ou sa religion. La compétence linguistique en est, par-dessus tout, le moteur essentiel, car elle permet l'utilisation d'un code universel qui peut être acquis par tous. La motivation culturelle, qui se situe à un autre niveau d'intégration, ne joue pas un rôle capital dans ce cas précis, puisqu'il s'agit avant tout d'une motivation de survie conforme à un nouvel environnement.

---

4. Gina Stoiciu, Odette Brosseau, *La différence, comment l'écrire? Comment la vivre? - Communication internationale et communication interculturelle*, Humanitas, Montréal, 1989.

Au Québec, les structures d'accueil et le cadre social institutionnalisé qui permettent de baliser le chemin des nouveaux arrivants en leur offrant des outils, des armes pour poursuivre, seuls, leur processus d'intégration. Cependant, ces structures mises en place se retrouvent continuellement au centre de débats nationaux houleux qui portent essentiellement sur l'adaptation des nouveaux arrivants en leur sein. Des politiciens, des journalistes, des universitaires, des dirigeants syndicaux, des chefs d'entreprise, des leaders des communautés culturelles et des particuliers (Québécois de souche et nouveaux arrivants) désirent, en effet, défendre la légitimité de ce cadre social fonctionnel grâce à des arguments culturels ou, au contraire, prouver son absurdité et son illégalité par des arguments du même acabit.

Le débat sur la langue en est un exemple significatif, et il revient dans la sphère publique comme l'hirondelle au printemps. Les discussions portent principalement sur le cadre politique, législatif et social de la langue et mettent en péril, par la même occasion, sa validité. À force de vouloir débattre et défendre un cadre officiel et institutionnalisé, à savoir que le français est la langue officielle de la province, trop de dirigeants publics sèment le doute parmi la population de souche et parmi les nouveaux arrivants. Ainsi, les débats linguistiques perdurent et le cadre social perd de sa légitimité car sa structure est affaiblie parce que perméable aux critiques. Accepter ces débats comme un rite collectif ne donne pas au cadre linguistique institutionnel des fondements solides et respectés, et n'offre pas à la société cette cohérence sociale dont il était question auparavant.

À ce niveau, l'État détient un pouvoir réel en matière d'intégration, c'est à lui de faire en sorte que les nouveaux arrivants se fondent dans ce cadre qui rend fonctionnelle et pratique leur intégration. Il devrait cesser de s'immiscer dans les débats d'ordre purement culturel afin de ne pas fragiliser davantage la cohésion sociale car, encore maintenant, il essaie de statuer sur quelque chose de déjà officiel au lieu d'offrir à ce cadre un rôle irréfutable de développement social. Les structures d'accueil existantes au Québec sont conçues dans le but de réussir favorablement une intégration fonctionnelle des nouveaux arrivants, mais leur rôle est trop souvent affaibli, voire occulté, par toute une série de débats très officiels portant sur la place de la culture et de la langue dans les sphères publiques. La situation historique et législative du français au Québec ne devrait pourtant plus justifier la vigilance de l'État (du moins de cette manière) au niveau de son statut.

L'État provincial devrait donc se limiter, en matière d'intégration, à la simple définition de la langue française en tant que langue unificatrice de la province, pour des raisons sociales de cohésion et de logique et non pas imposer tout le bagage sémantique du français du Québec, c'est-à-dire tout ce qu'il transporte de caractéristique de la culture québécoise.

Cependant, l'intégration peut dépasser le simple stade d'une intégration fonctionnelle et se développer davantage autour d'une sphère culturelle, dont les garants seraient les membres de la société d'accueil. Un nouvel immigrant peut, en effet, seulement s'il le désire, se fondre dans un nouvel environnement en y puisant d'autres instruments d'intégration. Se limiter à une intégration fonctionnelle s'avère tout à fait viable et suffisant, comme nous avons pu le voir précédemment, mais intégrer de nouvelles valeurs, de nouvelles habitudes, de nouveaux comportements d'ordre culturel peut, si le procédé est motivé, favoriser l'intégration d'un individu à une nouvelle société.

Toutefois, il est important de ne pas perdre de vue que le temps devient un facteur supplémentaire à celui de la simple motivation personnelle. En effet, l'intégration se voulant un processus, le temps agit, modèle, transforme, change et fait évoluer les désirs, les projets, les motivations premières et les objectifs d'un individu. Indispensables à une intégration culturelle harmonieuse, le temps et la motivation sont donc deux facteurs dépendants, la motivation ayant une action accélérante ou décélérante sur le temps, c'est-à-dire sur la rapidité de l'intégration culturelle.

L'intérêt du nouvel arrivant pour la culture de la société d'accueil devient alors un moteur pour une communication interethnique (ou socioculturelle) qui peut même conduire à une certaine domination de la culture de la société d'accueil sur celle d'origine, le nouvel arrivant intégrant dans son système de valeurs certaines caractéristiques acquises par mimétisme... mais de manière motivée.

Enrico Carontini[5] et Young Yun Kim[6] exposent cette idée sous un concept de compétence de communication qui joue un rôle capital dans la négociation entre nos deux acteurs en présence, à savoir l'État et les nouveaux arrivants. La compétence de communication fait appel à «l'encyclopédie» d'une société (bagage culturel) qui regroupe un ensemble de matériaux codifiés (le code linguistique, par exemple) et non-codifiés (les attitudes, les préjugés, ...) et permet une communication «idéale» entre deux, voire plusieurs, groupes ethniquement différents, car elle englobe dans sa structure, l'intégration culturelle et l'intégration fonctionnelle. Mais rien n'empêche à cette communication de rester limitée à une simple compétence linguistique (se parler et se comprendre par la parole) car

5. Enrico Carontini, *Interférence et encyclopédie* — Notes à propos de la théorie d'abduction chez S. Peirce et de son usage sémiotique, Montréal, 1988.

6. Young Yun Kim, *Communication and Cross-cultural*, Multilingual Matters Ltd, Clevedon, R.U, 1988.

elle se réfère à un bagage culturel commun à une population, mais reste néanmoins une condition nécessaire pour une communication adéquate, dépendamment du niveau de négociation désiré. L'encyclopédie pourrait donc être considérée comme une zone culturelle commune illimitée, qui nous a été inculquée et que nous avons acquise par mimétisme. Elle aide, en quelque sorte, à construire un vrai réseau culturel propre à une population définie.

L'intégration idéale pourrait donc être perçue comme une appropriation de l'encyclopédie de la culture dominante par les nouveaux arrivants. Mais il est clair qu'un tel aspect de l'intégration est marginal étant donné qu'il ne concerne que les personnes qui désirent réellement tenter l'expérience. Pour ce faire, il faut qu'il y ait séduction culturelle de la part de la société d'accueil. Les deux conditions à ce processus sont donc: séduction et motivation. C'est le nouvel arrivant qui choisit un nouvel apport culturel afin de l'intégrer à son encyclopédie de départ. Selim Abou[7] apporte l'image d'une greffe qui serait effectuée par le nouvel arrivant sur son propre bagage culturel.

Cependant, si l'étranger en phase d'intégration peut choisir d'adopter de nouveaux comportements culturels, il peut aussi en rejeter d'autres, si l'une des deux conditions n'est pas mise en avant. Une chose est certaine, lorsque l'immigrant adopte les comportements de la vie publique, avec ou sans nouvel apport purement culturel, il gardera sa façon de penser et de percevoir les situations et l'environnement en fonction de son bagage d'origine. Un immigrant n'est donc jamais reconnu comme un membre à part

7. Selim Abou, *L'identité culturelle - Relations interethniques et problèmes d'acculturation*, Anthropos, Paris, 1986, chapitre IX: Mythe et réalité dans l'émigration. p. 235.

entière de la société d'accueil, au mieux, il est toléré, et ce même si le mimétisme culturel est fort et sa position sociale, élevée. Peut-être pourrions-nous parler de citoyen hybride qui, aux yeux de la population d'accueil, a des droits et des devoirs civiques comme n'importe qui d'autre mais qui ne peut avoir accès à toute une partie de la sphére culturelle d'accueil, c'est-à-dire à celle qui se trouve rattachée à la culture innée. Donc, même s'il y a une forte motivation de la part de celui qui s'intègre et une forte séduction de la société qui accueille, le regard de l'autre, c'est-à-dire du membre de la société d'accueil, jouera un rôle prépondérant dans la reconnaissance de la nouvelle identité de l'immigrant, celle-ci ne pouvant être validée autrement.

Le nouvel arrivant aura donc la possibilité, voire l'obligation morale, de rejeter ce qui ne le concerne pas culturellement. À ce stade, l'intégration deviendra un outil dont il pourra se servir pour d'abord réaliser, puis rejeter ou accepter cette nouvelle culture qu'on tente trop souvent de lui inculquer. Par exemple, après l'acquisition de la langue française (intégration fonctionnelle), il peut y avoir reconstruction de son champ sémantique et ainsi, une connaissance plus affinée de la culture réceptrice. De ceci découle l'importance du facteur temps et de la pertinence d'une nuance faite à propos des niveaux de compétence dans une perspective de négociation, concept clé lors d'un processus d'intégration à une culture majoritaire. En effet, il est possible de parler de négociation lors d'une telle démarche de transformation identitaire. L'immigrant ou le réfugié politique devra, le plus rapidement, possible jouer son rôle de citoyen au sein de la société qui l'accueille en prenant appui sur les modèles de vie qu'on lui présente et, de son côté, la société d'accueil devra tout mettre en place pour que son intégration se fasse selon le respect des différences culturelles et des droits de la personne dictés par le modèle démocratique. En fait, l'idéal serait que les droits culturels et sociaux du nouvel arrivant ne soient pas bafoués et que certaines règles à caractère culturel de la société d'accueil ne soient pas altérées par un déni ou un non-respect quelconque de la part de ceux qui viennent s'installer dans le territoire qu'elles délimitent.

La théorie de Taboada Leonetti[8] renforce cette perspective de négociation par l'accent mis sur la stratégie identitaire que les immigrants et les réfugiés politiques utilisent, afin de se reconstruire une identité culturelle au sein d'une société d'accueil. En effet, l'identité est définie, selon Taboada Leonetti, à partir de la situation d'interaction (négociation) et non à partir du regard de l'autre, la situation jouant un rôle capital dans la reconstruction identitaire culturelle. La définition de l'identité provient donc du résultat de la situation d'interaction. En contexte d'immigration, le temps a une place importante, car un remodelage de l'identité n'est possible qu'au fil des ans. Les étrangers sont ainsi tentés de mettre en place des stratégies de contournement identitaire afin de déjouer le regard que la société d'accueil pose sur eux, dans des situations de racisme, de méconnaissance culturelle, de rejet culturel ou de paternalisme. Ils se dotent du pouvoir d'accepter ou de rejeter les caractéristiques culturelles qui leur sont assignées. Toujours selon Taboada Leonetti, ils s'arment d'instruments de défense qui peuvent aller du regroupement ethnique autour de mini-sociétés religieuses, scolaires et médiatiques, jusqu'à des techniques (ou stratégies) de contournement identitaire: l'intériorisation, la surenchère, le

8. Taboada Leonetti, «Stratégies identitaires et minorités dans les sociétés pluriethniques», dans *Revue internationale d'action communautaire,* URMIS - CNRS.

retournement sémantique, le déni, l'action collective, l'assimilation au majoritaire, la recomposition identitaire ou l'instrumentalisation de l'identité assignée. Il serait donc important, de la part des dirigeants publics, de prendre en compte ce paramètre, afin de ne pas juger à la hâte ce qui pourrait passer pour un rejet de la culture d'accueil par ceux qui tentent de s'y intégrer. N'oublions pas que le temps, la motivation, la séduction et la manière de s'intégrer doivent faire naturellement et spontanément leur travail, en fonction de l'individu et de son expérience personnelle. S'il s'agit d'un réfugié politique, arraché à son environnement culturel pour des raisons de vie ou de mort, nous devons nous attendre à ce que son processus d'intégration soit plus long que celui d'un immigrant qui a délibérément choisi de quitter son pays.

Ainsi, l'intégration culturelle, en plus de répondre à des prérogatives de motivation personnelle et de séduction de la part de la société d'accueil, dépend également de la disposition de tout un chacun (population de souche et nouveaux arrivants) à considérer l'autre et, en d'autres termes, à le connaître culturellement. L'intégration culturelle, si elle est possible, ne sera jamais complète au point d'abandonner tout héritage culturel acquis depuis des générations et faisant partie d'un passé collectif. Elle se limitera simplement à une redéfinition du bagage culturel acquis, mais ne correspondra jamais au remplacement complet du réseau culturel (avec toutes ses caractéristiques) par un autre.

Chapitre 4

Le cas du Québec

Comme nous avons pu le voir, le Québec trouve sa place sur l'échiquier international des politiques d'immigration. En effet, il possède une politique de sélection, d'accueil et d'intégration unique en son genre qui pourrait se comparer à celles de pays tiers. La politique interculturaliste possède ses fondements, sa raison d'être et ses objectifs, et les infrastructures d'accueil font figure de modèles avant-gardistes aux yeux de bien d'autres sociétés d'accueil.

Le Québec, linguistiquement minoritaire au sein du Canada, a tout mis en oeuvre pour qu'intégration des nouveaux arrivants et survie du caractère culturel distinct de la province cohabitent. Est-ce chose aisée? Il semblerait que réclamer des droits et des pouvoirs d'une part, et en octroyer de l'autre ne permettent pas d'atteindre, de façon optimale, des objectifs d'intégration et de revendication culturelle. Nous sommes bel et bien en face d'une dualité: le Québec cherche à intégrer culturellement des étrangers à sa société et, en même temps, poursuit sa quête d'identité culturelle sur le plan national, en tentant d'y inclure des individus en phase de transformation identitaire et culturelle.

En effet, l'intégration fonctionnelle des nouveaux arrivants est orientée selon des critères de vie nord-américains, alors que l'intégration culturelle répond aux critères culturels québécois. Celui qui élit domicile au Québec, si l'on s'en tient à la démonstration précédente, opterait en premier lieu pour une intégration instrumentale en relation avec les codes de vie courants, car ceci lui sera plus aisé. Choisira-t-il, à l'instar des demandes répétées du gouvernement, une intégration élargie à la culture?

Comme nous le verrons dans ce chapitre, le critère culturel est omniprésent dans l'*Enoncé de politique d'intégration* du gouvernement québécois. Chaque groupe ethnique doit, selon la politique officielle, nouer des liens indissociables avec sa culture d'origine ainsi qu'avec la culture d'accueil. Théoriquement irréalisable sous une forme coercitive, cette politique d'intégration rencontre aussi d'autres obstacles.

Il est démontré que les personnes issues de l'immigration conservent leur identité culturelle (à rattacher à l'encyclopédie dont il était question au chapitre précédent) bien que celle-ci soit modifiée par un processus complexe fondé sur des stratégies multiples de contournements identitaires en situation d'intégration. Les immigrants et les réfugiés politiques, pour des questions de survie, vont essayer de coller, autant que faire se peut, à la réalité contemporaine du Québec; l'apprentissage du français se fera, par exemple, plus par nécessité que par amour de la langue de Molière ou de Tremblay.

Cette question de survie reste au cœur du débat car elle permet au nouvel arrivant de se tourner en priorité vers des outils du quotidien, et des outils de fonctionnement. Parallèlement à cette instrumentalisation, si des critères de séduction existent, le nouvel arrivant se tournera alors vers la culture d'accueil afin d'en intégrer les caractéristiques pour, ensuite, se fondre dans une sphère culturelle qui, peu à peu, deviendra la sienne. Par ailleurs, il faudra qu'il se détache du regard des autres sur sa réelle identité culturelle (qui, en fait, est double) pour revendiquer en premier lieu celle qu'il a acquise.

Cependant, selon les enquêtes menées par Micheline Labelle et Joseph J. Lévy[9], il est possible de mettre le doigt sur ce qui représente, au Québec, de véritables barrières culturelles à l'intégration. C'est-à-dire que la motivation de s'intégrer culturellement et l'aspect séduisant de la culture québécoise, critères nécessaires à une intégration dite harmonieuse, seraient fortement altérés.

En effet, la mauvaise qualité du français parlé, le nationalisme axé sur la défense presque agressive du français, les perpétuelles revendications politiques quant à la souveraineté et à l'indépendance de la province, la faiblesse du système scolaire, le racisme latent et certaines valeurs comme le féminisme, l'individualisme et la liberté sexuelle des jeunes ne permettent pas cet élan nécessaire à l'osmose culturelle entre les deux communautés, celle de souche et celle des immigrants.

---

9. Micheline Labelle et Joseph J. Lévy, *Ethnicité et enjeux sociaux - le Québec vu par les leaders de groupes ethnoculturels,* Liber, Montréal, 1995, p. 377.

Il s'agit de facteurs culturels qui entrent directement en conflit avec des jugements et des préjugés qui empêchent le partage complet d'une identité commune à toute la population, car la culture québécoise, comme n'importe quelle autre, ne peut servir comme référent universel. Force est de constater que le féminisme, le droit à l'avortement ou les droits des homosexuels peuvent être des valeurs qui vont freiner l'intégration de certaines personnes, voire de certaines populations. Cependant, une société ne peut remettre en question, suite à des années de lutte contre ce qui lui paraissait archaïque, ce qui a été façonné par le temps, mais aussi par l'évolution des moeurs et par les échanges culturels et économiques avec d'autres sociétés occidentales. N'y a-t-il pas aussi, au sein d'un même groupe ethnique, des voix discordantes qui revendiquent le contraire de ce qui est décidé par la majorité? Chacun peut toujours choisir de simplement comprendre, d'accepter, ou mieux de s'investir, de façon personnelle et motivée, dans la revendication de ces valeurs nouvelles. À défaut de les intégrer, ils les rejetteront, comme le veulent les règles de la démocratie, modèle de fonctionnement social et économique au Québec.

Les enjeux de l'immigration

Cependant, le cas de la province est particulier car d'autres paramètres rentrent en ligne de compte. En effet, les revendications linguistiques et politiques puisant leur source dans l'histoire sont encore, de nos jours, une des préoccupations principales de la société. Le débat organisé autour de l'indépendance, de la tenue d'autres référendums, du statut de la langue française, de la reconnaissance du caractère distinct de la société et des limites territoriales de la province est propre au Québec et constitue une barrière culturelle supplémentaire à l'intégration telle qu'elle a été pensée par le gouvernement provincial.

L'exemple de la langue française, symbolisant le patrimoine culturel du Québec, se veut révélateur de cet état de choses. Dans les classes de francisation des nouveaux arrivants, l'enseignant est souvent confronté à une tiède motivation des étudiants face au français du Québec. En effet, ce dernier ne jouit pas du prestige que le gouvernement souhaiterait lui donner. Beaucoup d'entre eux apprennent le français avant tout par nécessité et non par goût ou par intérêt culturel. Certes, ceci n'est pas la seule explication au problème de la francisation des étrangers, mais bien qu'elle soit réelle, elle est malheureusement peu abordée dans les médias par les journalistes et les ministres compétents en la matière qui préfèrent rejeter exclusivement la faute sur l'attrait de l'anglais, symbole de la puissance économique de l'Amérique.

La négociation, relative à des objectifs d'intégration, est possible dans une certaine mesure car elle doit revêtir, la forme d'un engagement partiel dans le choix des critères servant à élaborer sa politique d'intégration du gouvernement, dans le but de doter d'instruments les immigrants et les réfugiés politiques dans ce que nous avons appelé un processus d'intégration fonctionnelle. Afin de savoir si cet idéal peut être atteint, penchons-nous maintenant sur la réalité d'un Québec à la fin du XXe siècle.

En effet, l'immigration détient un rôle primordial dans l'économie du Québec contemporain. Des enjeux sont établis par le gouvernement qui les utilise pour relever des défis tant socio-économiques que culturels. Mais quelle est la place occupée par la culture au sein de la politique appliquée en matière d'intégration? Qu'est-ce que le gouvernement, premier organe intégrateur, entend par culture? Quelles vont être les caractéristiques retenues pour définir la culture québécoise et quels vont être les critères d'une intégration culturelle réussie? Quels seront les moyens mis en œuvre pour atteindre de tels objectifs d'intégration?

Ces réponses se trouvent dans un document publié en 1990 et en 1991 par la Direction des communications du ministère des Communautés culturelles et de l'Immigration du Québec. Le gouvernement y expose ses vues en matière d'idéologie politique, de conception de l'actualité, d'évolution socio-économique de la province, d'intégration et de sélection des candidats à l'immigration. Ce document a été élaboré sous le gouvernement libéral de Robert Bourassa, mais il reflète assez fidèlement les attentes de la population, les orientations voulues par la majorité des Québécois, soucieux de garder leurs spécificités culturelles dans un contexte de forte affluence migratoire et de conflits législatifs au sein d'un Canada détenteur de pouvoirs sur l'avenir de la province. Cette situation de revendications s'est depuis lors radicalisée, depuis l'élection du Bloc québécois à la Chambre, puis de celle du Parti québécois au Parlement, et enfin de la victoire du «Non» au dernier référendum sur l'indépendance de la province.

À la lecture de l'*Énoncé* en matière de politique d'immigration et d'intégration[10], il apparaît clairement que le gouvernement tend à vouloir changer la société qu'il représente en intégrant, dans ce processus, la dynamique migratoire. Pour faire face aux transformations sociales envisageables, l'intégration devient la clé de voûte d'une réussite sociale qui permettra de mettre fin à la transition entre un Québec traditionnel et un Québec moderne. Cepen-

10. *ibid.*

dant, avant de parler de défis à relever, le gouvernement tient à maintenir, voire à renforcer, deux aspects marquants pour la société québécoise: sa langue et son poids démographique. Il s'agit des deux prérogatives dont le gouvernement ne voudra jamais s'éloigner, afin de ne pas sacrifier le Québec sur l'autel du fédéralisme.

Le redressement démographique, la prospérité économique, la pérennité du fait français et l'ouverture sur le monde sont les quatre défis à relever par le biais de l'immigration, défis autour desquels doit s'articuler la politique de sélection et d'intégration des immigrants et des réfugiés politiques.

Contrairement à beaucoup d'autres pays d'accueil occidentaux, le gouvernement du Québec ne cache pas le fait que l'immigration a un rôle capital à remplir dans son processus de développement et que cet accueil massif de nouveaux arrivants ne se fait pas gratuitement. Discours clair et franc, qui ne cache pas pour autant la volonté du Québec à servir de refuge aux opprimés de la terre, comme le prouvent les chiffres: entre 1987 et 1991, plus de 31 000 personnes ont été accueillies selon des critères humanitaires et non culturels ou socio-économiques.

En ce qui concerne les immigrants, les quatre défis établis par le gouvernement, pour servir de tremplin au développement de la province, sont, quant à eux, fortement imprégnés de connotations culturelles. Il serait intéressant de savoir si ces défis retenus servent d'abord la cause culturelle de la majorité de souche ou la démocratie, référent universel au sein du territoire. Sur le plan économique, cela ne semble pas poser de problèmes, dans la mesure où il s'agit d'un aspect vital pour les individus et pour la société dans son ensemble. Il en est de même pour les aspects juridiques, politiques et même linguistiques. Le respect de la loi en général est essentiel et il n'est en aucune façon question de la remettre en cause si la démocratie doit survivre.

Cependant, il est expressément demandé aux nouveaux arrivants de participer activement à la promotion du français (et pas seulement de se contenter de le parler couramment) et de valoriser ce caractère vindicatif et militant propre à la politique linguistique du gouvernement. Nous dépassons ainsi la définition d'une langue nationale qui aurait avant tout un rôle de ciment, et ce, afin d'homogénéiser et d'unir la population. Le gouvernement cherche avant tout à rassembler l'ensemble de sa population autour d'un combat linguistique et non autour d'un concept de références linguistiques universelles. Il dépasse ainsi la définition de la «langue-lieu» (langue de la vie publique) en introduisant tout l'aspect de l'engagement culturel, voire politique.

Certes, le militantisme linguistique et culturel du Québec a ses raisons d'être historiques, mais il ne devrait pas se retrouver inclus dans la politique d'intégration car ceci entâche le caractère démocratique de ces mesures de cohésion sociale. En effet, les nouveaux arrivants ne demandent pas à participer à une promotion culturelle d'enjeux qui ne les concernent pas, étant donné qu'à l'origine ils ne sont pas venus au Québec pour cette raison. Le gouvernement donne ainsi l'impression qu'il cherche à rectifier une situation qui ne lui convient pas ou plutôt, à dénoncer le fait que les immigrants ne participent pas autant qu'il le souhaiterait à la promotion culturelle du Québec.

Avant de parler du droit des minorités, du statut de la femme, de l'éducation des enfants, des droits des communautés culturelles, de la situation de l'art au Québec, il mettra d'abord l'accent sur le caractère distinct de la société, sur l'importance de la langue française, sur les droits statutaires du peuple québécois et sur le poids démographique de la population francophone au Canada. Les immigrants doivent ainsi ressentir, avant tout autre chose, la situation d'urgence culturelle dans laquelle le Québec se situe, ils doivent devenir des militants avant de devenir des citoyens responsables de leurs actes et assumant leurs choix politiques et culturels.

On exhorte ainsi les immigrants à «s'enraciner en terre québécoise» afin qu'ils adoptent de nouvelles valeurs, une nouvelle culture, de nouveaux codes de vie et de communication. En parlant de valeurs, le gouvernement parle de culture, en parlant d'enracinement, il parle de durée et de solidité de ces valeurs, en parlant de culture nationale, le gouvernement cherche à définir une nouvelle conception de l'homme, une nouvelle culture d'État.

En revanche, lorsque les critères économiques de sélection sont abordés, il est nettement moins question de l'intégration des immigrants à la sphère culturelle nationale. De 1989 à 1991, les gens d'affaires immigrants ont transféré au Québec 208 millions de dollars en valeurs immobilières et les Chinois de Hong Kong, qui décident de quitter leur territoire avant qu'il ne fasse partie de la Chine populaire, sont obligés de déposer plusieurs centaines de milliers de dollars dans un compte bancaire au Québec. Ces exemples montrent bien que la province ne peut uniquement fonder sa politique de sélection sur des critères ou des aspects culturels car ils ne servent pas, de manière pragmatique et fonctionnelle, au développement démocratique et économique de la province. Exiger de la part des gens d'affaires et autres investisseurs le respect d'un code culturel strict et trop structuré empêcherait ce développement économique. Nous nous trouvons donc devant une catégorie d'immigrants exemptés de «participation» à la sphère culturelle au sens restreint du terme, catégorie d'immigrants que le gouvernement actuel de Lucien Bouchard tente de séduire par différentes approches.

En regard des principales mesures mises en œuvre actuellement afin de favoriser l'immigration d'affaires, il n'est absolument pas fait allusion au caractère culturel de l'intégration et de la sélection, car seule l'entrée de capitaux étrangers importe.

L'intégration linguistique

Qu'il s'agisse de contextes d'immigration, de défis, de développement, de contrat moral passé entre le gouvernement et les nouveaux arrivants, d'orientation de la politique d'immigration et d'intégration, de quotas, d'accroissement du volume d'immigration, de capacité d'accueil, de participation ou de relations intercommunautaires, la langue trouve une place primordiale et sera considérée comme une donnée essentielle dans tous ces domaines, étant donné qu'elle a une incidence directe sur l'intégration. La langue, ce ciment, ce facteur unificateur qui permet d'établir une analogie entre plusieurs champs d'action essentiellement différents, donne une ligne conductrice à la mise en place et à l'application d'une politique d'intégration cohérente.

La raison du choix de la langue comme fil d'Ariane est double et répond à deux démarches. La première correspond à la conservation de l'identité culturelle de la population de souche de la province, en référence à son origine, sa religion, son histoire, alors que la deuxième s'accorde, en conséquence à la première raison, à la réalité sociopolitique du Québec actuel. Le français est devenu la langue officielle de la province car il est parlé, pour des raisons historiques, par la majorité de la population et il favorise de manière optimale les échanges sociaux, politiques, culturels et commerciaux. Le français fait donc naturellement le lien entre le Québec d'hier et celui d'aujourd'hui, tout en permettant un engagement collectif vers le futur.

À ce propos, la Charte de la langue française entérine ce choix délibéré en affirmant que: «Langue distinctive d'un peuple majoritairement francophone, la langue française permet au peuple québécois d'affirmer son identité. (Elle doit donc être) la langue de l'État et de la loi, aussi bien que la langue normale et habituelle du travail, du gouvernement, des communications, du commerce et des affaires.»

Le gouvernement considère bel et bien que la conservation de l'identité passe avant tout par la reconnaissance d'une société francophone qui désire le rester et faire reconnaître aux nouveaux arrivants son statut linguistique, par le biais de la langue française, symbole du patrimoine culturel du Québec contemporain.

Demander aux nouveaux arrivants qui viennent s'installer au Québec d'adopter le français comme langue d'usage dans les rapports quotidiens n'est pas en soi discriminatoire, ni à proprement parlé incongru ou irréaliste, comme nous avons pu l'entendre ou le lire dans les médias rapportant les propos de certains extrémistes. Bien au contraire, un effort est fait dans le sens inverse afin de faciliter et d'harmoniser les rapports entre les différentes communautés culturelles qui peuplent la province afin d'unifier linguistiquement le territoire pour permettre une démarche simple, car efficace, des appareils économiques, judiciaires et culturels, ainsi que des institutions publiques.

Les problèmes surviennent lorsqu'est donné à la langue officielle un caractère trop politique, en occultant cet aspect de lieu pour tous. En effet, la revendication linguistique comporte des stigmates trop forts pour faire adopter simplement, facilement, efficacement et sans heurt, le français comme langue fonctionnelle d'usage courant, c'est-à-dire qui puisse être utilisée par tous... et ce, sans réticence.

En politisant la langue, le gouvernement restreint de beaucoup sa définition de base comme outil de communication. Cependant, il n'est pas question ici de vouloir lui soustraire toutes ses caractéristiques culturelles, car ce serait la reléguer au rang de langue espérantiste. Le français reste une langue vivante et internationale, vecteur de cultures, qui a le potentiel d'être une langue étrangère d'adoption pour des usages pluridisciplinaires, tant culturels que politiques.

Mais pour les gouvernements provinciaux qui se sont succédé, elle se veut plus que cela, étant donné qu'on demande aux nouveaux arrivants de servir la cause du français. Nous nous éloignons peu à peu de ce français qui faisait le lien entre le passé et le présent, de ce français qui pourrait devenir naturellement la langue de tous, pour nous rapprocher, sous l'œil vigilant des institutions, d'un français culturellement politique, politiquement culturel à la cause duquel tout nouvel arrivant doit se rallier s'il désire la reconnaissance de la société d'accueil.

Le nouvel arrivant devient d'abord un outil de renforcement politique, un otage culturel, avant d'être considéré comme un individu venu s'intégrer à une communauté linguistique distincte des autres, au sein de laquelle vont s'établir des échanges à des niveaux différents (social, culturel, politique et économique).

Au Québec, le français peut être une véritable barrière à l'intégration, alors que son rôle premier est justement d'unir et d'intégrer. Mettons de côté les poncifs qui tendent à galvauder l'idée que le français est une langue laborieuse à assimiler, de par sa rigidité académique, sa complexité orthographique et grammaticale et que ces critères de difficulté rendent son apprentissage rapide quasiment impossible. Il serait plus juste d'observer la manière dont la langue est appréhendée au Québec, ainsi que le statut qu'on lui accorde, pour comprendre les réelles difficultés rencontrées par les immigrants pour l'acquérir. Au lieu de stimuler leur motivation à apprendre cette langue (outil indispensable à la survie économique et sociale de chacun), les institutions publiques et privées (les médias entre autres) les mettent devant un ultimatum: participez au combat sinon vous serez rejetés.

Mais le gouvernement, quel que soit son clan politique, est pris en étau entre une population de souche qui semble attachée à la survie du fait français, et des nouveaux arrivants peu enclins à y participer. Conscient de ce fait, le gouvernement renforce ce caractère politico-linguistique et l'intègre, comme un enjeu délibérément déclaré, à ses programmes d'action. Ne perdons pas de vue que le français est, au Québec, un enjeu électoral, référendaire et économique; le gouvernement ne craindra donc pas de déclarer qu'il s'attend à ce que «les immigrants et leurs descendants s'ouvrent au fait français (...) et acquièrent graduellement un sentiment d'engagement à l'égard de son développement». Est-ce davantage pour s'allier des électeurs que pour rassembler une population autour de principes de développement?

La langue est avant tout utilisée comme un instrument de lutte politique face à une immigration menaçante, trop longtemps perçue par la population francophone «comme un mal nécessaire, au pire comme une menace contre laquelle il fallait se protéger. (...) C'est pourquoi, aujourd'hui encore, des craintes subsistent à cet égard au sein de la population».

Certes, la tâche du gouvernement n'est pas aisée pour concilier attachement à la lutte et abandon de l'enjeu politique de l'intégration. Cependant, à force de demander aux nouveaux arrivants d'aimer, de défendre, de s'engager pour une cause qui, peut-être, ne signifiera rien à leurs yeux par manque de compréhension ou de conviction, le gouvernement risque de susciter l'effet contraire et de créer une véritable animosité contre la langue française, ou plutôt, contre le combat culturel qu'elle représente.

En effet, est-il bien nécessaire de statuer sur une définition du rôle de langue privée et de langue publique? Est-il important «d'autoriser» les immigrants à parler leur langue d'origine à la maison? La langue est régie de façon trop stricte et rigoureuse, ce qui altère encore un peu plus la bonne volonté du gouvernement d'en faire un innocent outil de communication. Toutes ces raisons évoquent à l'esprit de plusieurs l'idée que le gouvernement essaie, tant bien que mal, de contrer une éventuelle avancée de l'anglais au Québec, en renforçant le caractère folklorique et politique d'un français propre à la population de souche. Tout porte à croire que les nouveaux arrivants sont considérés comme des otages culturels. Les franciser permet de répondre aux prérogatives d'une société qui, pour des raisons légitimes, a choisi une langue d'adoption. Cependant, mettre en place un mécanisme de francisation dans le seul but de sauver les intérêts politiques et culturels de la majorité francophone est une usurpation.

L'attitude du gouvernement, à travers cet énoncé de politique en matière d'immigration et d'intégration, a pour seul mérite d'être clair sur certains points. Mais il oublie trop régulièrement de présenter la langue française comme la langue d'un marché économique accessible, d'une vie sociale facilitée, d'un système éducatif et législatif solide et d'une intégration harmonieuse au sein d'une société moderne, dynamique et entreprenante.

L'enjeu démographique

«S'il (le Québec) privilégie à court terme le repli sur soi et une sécurité linguistique frileuse, il glissera à moyen terme sur la pente du déclin démographique (...) Le gouvernement opte donc pour le second choix et entend relever aujourd'hui le défi du redressement démographique et de l'intégration des immigrants afin d'assurer demain le développement du fait français au Québec[11]».

«L'accroissement graduel des niveaux d'immigration contribuera également à maintenir le poids démographique du Québec au sein du Canada, poids qui a chuté de 3 % au cours des deux dernières décennies, en raison du faible indice de fécondité, du déficit des migrations interprovinciales et de l'insuffisance de la part québécoise de l'immigration internationale en territoire canadien[12]».

La démographie et la pérennité du fait français sont liées de manière indissociable car le poids démographique du Québec, par rapport à celui du reste du Canada, est un enjeu crucial pour le gouvernement qui cherche à conserver le caractère linguistique de la province. Mais que doit-on développer prioritairement grâce à l'immigration? Les intérêts des francophones ou les intérêts de la société dans son ensemble? Les gouvernements semblent avoir fait leur choix en donnant à l'immigration un rôle de renforcement démographique, c'est-à-dire de faire augmenter la population francophone (grâce à la francisation des allophones et à la priorité accordée aux francophones d'origine d'immigrer au Québec) et, ainsi, de donner plus de poids culturel à la province face au reste du Canada.

11. *Énoncé politique, op.cit.*, p. 13.
12. *Énoncé politique, op.cit.*, p. 10.

Ainsi, la démographie devient un outil politique, au même titre que la langue, pour servir la cause culturelle du Québec face au Canada anglophone. En fait, cette lutte n'a jamais vraiment cessé depuis la Revanche des berceaux. Aujourd'hui, contrairement aux périodes politiques antérieures, les nouveaux arrivants sont inclus dans cet engagement dans le but d'être utilisés politiquement et culturellement pour peupler le Québec de davantage de francophones ou de néo-francophones.

Outre le fait que le Québec combat surtout le vieillissement de sa population en encourageant le renouvellement des générations pour des raisons sociales et économiques évidentes, il se bat aussi pour donner la priorité à une immigration qui servira la cause de la société distincte. Les meilleurs candidats seront donc des immigrants provenant de pays francophones, cette catégorie d'immigrants pourra ainsi répondre immédiatement aux prérogatives dictées par les enjeux de développement: peupler sans mettre en danger le caractère francophone de la province, peupler au profit d'une population de souche francophone.

Entre 1987 et 1991, 37,6 % des immigrants admis au Québec parlaient le français, ce qui avait pour objectif de renforcer la rétention des immigrants dans la province et d'éviter qu'il y ait glissement vers d'autres provinces. Cette sélection revêt encore une fois un caractère culturel évident, étant donné que le gouvernement tiendra compte principalement de la connaissance du français du candidat à l'immigration et que ce critère de sélection, avec le critère d'adaptabilité, sera l'un des plus significatifs dans la grille de pondération des critères de sélection retenus par les services d'immigration.

Mais peut-on, pour autant, parler de discrimination culturelle? La question est délicate dans la mesure où cette sélection doit répondre à deux impératifs: peupler la province et lui conserver son caractère culturel distinct. Si le caractère distinct est tributaire de la conservation de la langue, il s'agit d'une entreprise louable car elle permet à un peuple de garder et d'afficher ostensiblement son identité, de faire entendre ses revendications, de s'octroyer et de se garantir une légitimité culturelle. Il ne faudrait simplement pas que cet objectif démographique serve, aux prix des libertés individuelles, à maintenir le Québec dans une place de choix au sein du Canada, de l'Amérique du Nord, voire de la francophonie. Le Québec doit être vigilant, certes, mais pas paranoïaque.

Le risque d'un repli de la province sur elle-même est bien réel, car cette nouvelle caractéristique culturelle de la politique d'immigration peut nuire à l'intégration harmonieuse tant désirée et encourager le rejet de l'autre.

La position du Conseil des communautés culturelles et de l'immigration du Québec.

Le rapport annuel 1993-1994 du Conseil des communautés culturelles et de l'immigration constitue une source d'information complémentaire à celle offerte par l'ancien ministère des Communautés culturelles et de l'Immigration. En effet, le Conseil, organisme paragouvernemental, est composé de quinze représentants des communautés culturelles qui agissent auprès du ministre chargé du dossier de l'immigration. Ainsi, le Conseil des communautés culturelles, concernant le rapport en question, a fondé ses recherches dans le but de conseiller le ministre sur des questions d'ordre social, culturel et politique, et ce, sur la voie interculturaliste adoptée par le gouvernement: promotion des minorités et des communautés culturelles, éducation interculturelle, promotion de l'apport public, social, culturel et économique engendré par l'immigration.

Alors que le gouvernement semble privilégier la notion de culture nationale, le Conseil, lui, préfère parler de culture publique: la première fait davantage référence au passé et à l'histoire alors que la deuxième est axée sur l'avenir, c'est-à-dire vers une culture commune à toutes les cultures qui composent le Québec d'aujourd'hui.

En effet, le Conseil définit même cette culture publique en y intégrant certains paramètres dont la liste est loin d'être exhaustive. Il est question, entre autres, de la conception québécoise «d'une culture religieuse commune introduisant au christianisme et aux autres grandes religions du monde». On ne peut qu'être dubitatif face à une telle proposition dont les objectifs et les modalités de mise en place sont plus que troubles. Parle-t-on de morale religieuse universelle? De comportements civiques? D'un dogme dont les principes orchestreraient la vie publique de la société? Aucune réponse n'est apportée à ces questions qui, pourtant, sont fondamentales lorsqu'un tel sujet est abordé.

Cependant, de manière plus concrète, le Conseil accepte l'idée de renforcer la promotion de ce concept de culture publique auprès des communautés culturelles. Sa défense, qui constitue d'après le Conseil un aspect non négociable de la question, permet ainsi de «garantir la cohésion dynamique que (la) société doit maintenir, dans son évolution même, en intégrant la diversité de ses membres». Il est donné en exemple la vengeance personnelle, la violence à l'égard des femmes et des enfants, la polygamie. Certains de ces actes, comme la polygamie ou les châtiments corporels infligés aux enfants en guise de punitions, se rapprochent quelquefois de pratiques coutumières, d'habitudes et d'usages culturels, de mœurs ou de traditions ancestrales, mais n'en demeurent pas moins illégaux au sens juridique du terme. Ils constituent un obstacle au bon fonctionnement d'une société démocratique occidentale qui a délibérément choisi d'appliquer une seule et même loi correspondant à ses choix culturels, historiques et sociaux.

La notion de démocratie qui se dégage du caractère universel d'application de la loi est perçue ici comme une valeur à laquelle la population doit adhérer, pour des raisons de fonctionnement social logique. Le travail des enfants, la durée de la scolarisation, la violence conjugale et le droit à la justice ne seront jamais remis en cause car une telle démarche entraînerait la fin de la démocratie, c'est-à-dire la fin d'une structure politique soutenue par la population. C'est pour cette raison que certains choix culturels ne sont pas négociables.

Cependant, l'interprétation de ces valeurs de justice démocratique devient plus délicate lorsqu'est défini trop vaguement le concept de «culture publique» comme un ensemble de «normes, de règles et de conventions communes». Si les instances gouvernementales statuent clairement et définitivement sur les pratiques culturelles qui peuvent nuire à la démocratie et créer des fossés d'incompréhension au sein de la population, elles réussiront, alors, à réunir la population autour d'une législation juste et sans équivoque. En revanche, laisser libre cours à l'interprétation de ces notions de normes, de règles ou de conventions communes mène à la création d'une démocratie hybride et dénaturée. Le flou s'installe et chacun (ou chaque communauté culturelle) pourrait, s'il le désire, adopter un comportement dit culturel au nom de la liberté d'expression ou du respect des différences au risque de bafouer les principes mêmes de la démocratie, c'est-à-dire que la liberté de tout chacun s'arrête là où commence celle de l'autre.

Concernant le délicat problème de la langue d'adoption, le Conseil des communautés culturelles et de l'immigration prend clairement position en faveur de l'utilisation du français comme langue générale de communication. Est-ce bien nécessaire? N'est-ce pas chose acquise? Ne risque-t-il pas, en enfonçant des portes laissées ouvertes depuis longtemps, de renforcer cette idée trop souvent colportée que le français est avant tout un choix politique, plutôt qu'un choix culturel historique? En tant qu'organe rattaché au gouvernement, il semble évident qu'il reconnaisse la légitimité de l'adoption de langue française comme seule langue officielle. Voici un exemple flagrant de cette inutile insistance qui fait renaître le doute sur une décision qui n'est, d'aucune façon, à remettre en question. Pourquoi donner son aval à un choix déjà entériné par le parlement national et admis officiellement par les instances fédérales? Il serait souhaitable de clore ce genre de débat, car les justifications répétées altèrent la légitimité même des décisions officielles: les justifications font perdurer des questionnements futiles et dangereux, à l'égard des choix démocratiques qui permettent l'homogénéité linguistique nécessaire au développement de la province.

En guise de conclusion, il est possible d'affirmer que le rapport annuel du Conseil des communautés culturelles et de l'immigration n'apporte guère plus de renseignements que l'*Énoncé* lui-même. Il permet cependant de constater que le gouvernement du Québec entraîne avec lui, depuis trop longtemps, des organismes publics à se pencher sur l'identité culturelle de la société québécoise. À défaut de définir clairement ce qu'est la culture québécoise, il impose un mode de fonctionnement qui vise à introduire le combat identitaire culturel au sein de sa politique d'intégration, au sein d'organismes censés donner de l'élan à ce vaste chantier de l'intégration. L'interculturalisme se résumerait donc à concentrer l'effort public sur une question essentielle d'identité nationale, celle correspondant au passé exclusif d'une partie de la population. Plutôt que de statuer clairement sur des débats houleux concernant le rapprochement interethnique ou de définir une véritable politique interculturelle, le Conseil des communautés culturelles et de l'immigration préfère faire appel à des «accomodements raisonnables» entre les différentes communautés culturelles du Québec. Il effleure en effet l'aspect négociable du processus d'intégration, mais en des termes mal définis; la négociation étant pourtant le point central de toute élaboration d'une politique d'intégration.

Chapitre 5

Forces et faiblesses d'un Québec au quotidien

À l'heure où certains pays occidentaux, comme l'Allemagne, la France, la Grande-Bretagne ou les États-Unis font face à des problèmes d'intégration et restreignent les conditions d'établissement des immigrés sur leur territoire, le Canada demeure un des rares pays au monde à fonder son futur économique sur l'immigration. Les provinces canadiennes tirent ainsi profit de cet apport de main d'œuvre et de nouveaux talents, et contribuent à l'accueil de ces populations, pour la plupart triées sur le volet, afin de ne pas être confrontées aux mêmes problèmes d'exclusion, de racisme et d'émeutes ponctuelles que connaissent d'autres pays. Nous comprendrons donc pourquoi les politiques d'intégration ont une telle importance. Elles doivent, en effet, répondre à toutes les facettes de l'immigration et correspondre aux profils socio-économiques de chaque catégorie d'immigrants ou de réfugiés politiques.

Au Québec[13], entre 1987 et 1991, presque autant d'hommes (53 %) que de femmes (47 %) sont venus s'installer dans la province et les personnes âgées de 25 à 44 ans représentaient près de la moitié des nouveaux arrivants (45 % contre 41 % de jeunes âgés de 0 à 24 ans et 14 % de plus de 45 ans). Parmi toutes ces personnes, 54,7 % étaient des indépendants (autrement dit, des gens d'affaires, des retraités, des parents aidés et des personnes dont le profil socio-économique correspondait aux critères de sélection du Québec), 26,1 % des familles et 19,2 % des réfugiés politiques. L'Amérique (20,9 %), l'Asie (50 %) et l'Europe (17,4 %) constituaient les principaux continents d'origine de ces nouveaux arrivants. Ces derniers chiffres ont pu changer étant donné les bouleversements politiques survenus récemment dans le monde, notamment en Europe (chute du mur de Berlin, mort du communisme dans la majorité des pays du pacte de Varsovie, guerre en Yougoslavie), en Afrique (massacres en Algérie, génocide au Rwanda, fin du Zaïre, ...) et en Asie (répression du printemps de Pékin, rétrocession de Hong-Kong à la Chine populaire) mais également en Amérique (crise sociopolitique en Haïti, pénuries croissantes et maintien du régime castriste à Cuba).

Cette immigration fort diversifiée ne peut répondre uniformément et favorablement à un discours idéologique d'intégration, surtout lorsque celui-ci fait de la culture québécoise une culture universelle d'accueil. En effet, le gouvernement provincial n'est toujours pas capable de se

---

13. *Le Québec en mouvement*, Statistiques sur l'immigration, Gouvernement du Québec, édition 1992.

détacher de son discours culturel partisan alors qu'il contribue, depuis plus de deux décennies, à faire du système social québécois un des plus généreux du monde. Chacun peut trouver une stabilité sociale dans un Québec dont les lois, les structures sociales et économiques sont solides et favorisent l'accès à une qualité de vie certaine en plus d'offrir des chances de réussites sociales. Mais pourquoi désire-t-on englober une population si culturellement, linguistiquement et socialement disparate dans une même sphère culturelle?

La langue française constitue l'élément charnière qui se situe entre l'intégration sociale et l'intégration culturelle. Intégration sociale car le français est la langue de communication et la langue principale des affaires; intégration culturelle car elle est également le symbole du bagage culturel de la majorité de la population, de ceux qui sont à l'origine de la création de cette société.

Sur le plan social, le Québec possède un vaste réseau de centres de francisation financés par les fonds publics. Les commissions scolaires (où les enseignants sont de véritables spécialistes de l'enseignement du français auprès des adultes non-francophones), les centres d'orientation et de francisation des immigrants (COFI) et les centres communautaires offrent tous des cours de français à une clientèle d'adultes allophones et anglophones, afin de permettre chaque année à des milliers de personnes d'intégrer rapidement le marché du travail ou de poursuivre des formations académiques et professionnelles. Malgré les restrictions budgétaires que connaît la province depuis quelques temps, les cours de français auprès des adultes ont toujours le vent en poupe. Environ 60,4 % des nouveaux arrivants (70,5 % des indépendants, 72,5 % des réfugiés, 50,7 % des familles et 65,7 % des gens d'affaires) ont fréquenté des cours de français et 45,1 % de ces personnes ont même suivi deux cours ou plus[14]. Mais d'autres chiffres s'avèrent encore plus éloquents: 68,9 % des personnes interrogées pensent que le français est la langue qui doit être apprise en premier, alors que 11,4 % pensent qu'elle doit s'apprendre en même temps que l'anglais, et 87,3 % des répondants conseilleraient à d'autres le ou les cours qu'ils ont faits.

Ces chiffres ne concernent que l'île de Montréal, mais il ne faut pas perdre de vue que plus de 80 % des immigrants et des réfugiés politiques s'installent dans la grande région métropolitaine. Grâce à ces chiffres, nous pouvons donc réfuter l'idée trop souvent galvaudée que les nouveaux arrivants, en général, rejettent le français, refusent de l'apprendre ou simplement le dénigrent. L'attrait pour cette langue est bien réel même s'il ne s'agit pas toujours d'un intérêt culturel. Les immigrants trouvent, peut-être, avant tout, un intérêt personnel à apprendre la langue de la majorité pour des raisons économiques[15]: le fait que le français soit la langue de communication de la majorité est admis.

Sur un plan pratique, l'intégration linguistique des immigrants et des réfugiés politiques est réussie, car le taux de fréquentation des cours est élevé (surtout en ce qui concerne les indépendants, les réfugiés et les gens d'affaires) et le taux de satisfaction à l'égard de ces mêmes cours est excellent. Le gouvernement a donc tout intérêt à garder ouverts ces services de francisation, étant donné qu'ils offrent à tout nouvel arrivant une chance de gagner

---

14. Hoa Nguyen et François Plourde, *Les besoins relatifs à l'apprentissage et à l'usage du français chez les immigrants adultes admis au Québec entre 1992 et 1995 et ne connaissant pas le français*. 1997, Direction des communications du ministère des Relations avec les citoyens et de l'Immigration, p. 70.

15. 50,7 % des répondants pensent que le français est la langue la plus utile sur le marché du travail et 33,2 % estiment que le français et l'anglais sont les deux langues indispensables à maîtriser pour conserver ou trouver un emploi.

sa place au coeur de l'activité économique et culturelle de la province et la possibilité d'atteindre un second niveau d'intégration.

En effet, ce second niveau d'intégration devrait être culturel mais le gouvernement lui donne un visage essentiellement politique, comme nous avons déjà pu le voir auparavant. La conduite de cette intégration culturelle devrait seulement appartenir à l'intéressé, c'est-à-dire au nouvel arrivant, qui doit décider quand, comment et pourquoi il se plonge au sein de nouvelles valeurs et d'un nouveau mode de vie. Le ton militant des textes d'intégration du gouvernement ne peut qu'être perçu comme du racolage et ne peut qu'éloigner les immigrants d'un projet culturel national.

Le discours encore plus radical de certains grands partis politiques, en particulier celui du Parti québécois, est significatif car il contribue à alimenter le débat national sur le rapport entre l'immigration et la survie de la culture québécoise. Le projet souverainiste, principal objectif politique du parti, s'avère l'élément central de ce débat car il pose, de manière concrète, sans toutefois y répondre, la question d'une cohabitation culturelle au sein d'un Québec indépendant. Ce projet semble, en effet, avoir bien peu d'adeptes au sein des communautés culturelles et faire peu d'émules parmi les nouveaux arrivants. Est-il nécessaire d'être nationaliste pour être souverainiste? Et faut-il être Québécois francophone de souche pour être nationaliste? La question reste ouverte et bien peu d'immigrants, de néo-Canadiens et d'anglophones semblent vouloir actuellement prendre le risque de faire preuve de solidarité avec les souverainistes.

Pourtant, le Parti québécois se défend bien de s'adresser uniquement aux Québécois francophones de souche et entend faire du Québec d'aujourd'hui et de demain, une province, voire un pays, au visage pluriculturel au sein duquel, chacun aurait un rôle à jouer. Mais ce projet souverainiste, fondé sur des critères culturels et économiques, est trop dépendant du sentiment et du mouvement nationaliste, c'est-à-dire de cet attachement aux racines de la culture québécoise et à la prise de contrôle du Québec par les seuls Québécois.

Dans *Le Devoir* du jeudi 18 décembre 1997, Nathalie Lavoie, présidente du Comité national des relations ethnoculturelles du Parti québécois (CNREPQ) et conseillère au conseil exécutif national du Parti québécois, tente de justifier l'action menée face aux citoyens issus de l'immigration: les projets entrepris par le Parti québécois pour un Québec pluraliste sont indéniables (politiques d'embauche, représentativité des citoyens issus de l'immigration au sein d'instances gouvernementales...), et malgré tout, le discours du parti séduit toujours aussi peu de néo-Canadiens. Le Parti québécois a eu beau se justifier face aux mots malheureux de certains de ses hauts dirigeants, défendre son action en se fondant sur l'histoire, la culture et la situation économique et sociale de la province, il reste un parti qui ne convainc, ni ne séduit, les citoyens issus de l'immigration, branche de la population pourtant nécesaire à la réalisation de son projet.

Tant que les deux partis souverainistes, le Parti québécois et le Bloc québécois, revendiqueront le bienfondé de scinder culturellement le pays en deux, les immigrants ne pourront adhérer à leurs thèses. Certes, le fait de ne pas être Québécois de souche dans un Québec souverain peut éloigner les immigrants d'un tel projet, mais le fait de créer un Québec indépendant sur des critères et des fondements culturels doit davantage les inciter à prendre leurs distances. Les avantages économiques d'un Québec indépendant, quant à eux, ne les ont pas plus convaincus car les thèses avancées par les partis en question semblent être des prétextes à un discours nationaliste traditionnel, c'est-à-dire culturel. Faut-il se rappeler les résultats du dernier référendum? Quels sont ceux qui ont voté en majorité en faveur du maintien du Québec au sein de la confédération canadienne?

Il serait intéressant de savoir pourquoi les électeurs du Parti québécois appuient le projet souverainiste. Est-ce plus pour des raisons culturelles qu'économiques? Pour l'instant, les néo-Canadiens ne semblent pas vouloir accepter la souveraineté au nom de la culture ou de la santé économique de la province. Le discours des politiciens les effraie-t-il ou le risque de la souveraineté est-il encore trop grand?

Tout comme la survie de la langue française au Québec, l'octroi du statut de société distincte par le gouvernement fédéral et l'accession à la souveraineté sont autant de débats qui peuplent le quotidien de tous et qui reposent sur des revendications culturelles de la province. Le débat linguistique et identitaire essouffle l'engagement politique, il devient son pire ennemi, en fatiguant certains et en faisant peur à d'autres.

Chapitre 6

La voix des étrangers

Tournons-nous maintenant vers le discours des nouveaux arrivants, afin de faire contrepoids au discours officiel et théorique. Ceci nous permettra d'obtenir, du moins partiellement, des réponses à certaines questions restées en suspend. Il ne s'agit pas de considérer ce chapitre comme une démonstration classique des théories avancées, mais davantage comme une illustration d'une négociation entre les parties concernant l'application pratique de la politique d'intégration mise en oeuvre actuellement au Québec. Cette illustration se fera grâce à la transcription de rencontres avec deux groupes d'une vingtaine de participants, chacun devant nous aider à clarifier la façon dont est ressentie le quotidien de l'intégration par les premières personnes concernées. Cependant, aussi objectifs qu'ils soient, les propos tirés de ces rencontres ne constituent pas une preuve tangible à l'exactitude des théories émises dans cet ouvrage. L'interprétation du discours des participants est d'autant plus subjective, voire faussée, que le public qui compose l'échantillon retenu provient essentiellement (immigrants et réfugiés politiques confondus) de pays à conflits sociaux, religieux, économiques et/ou militaires plus ou moins graves. En effet, les participants aux débats sont originaires des pays suivants: Chili, Cuba, Estonie, Honduras, Iran, Israël, Liban, Mexique, Pakistan, Pérou, Roumanie, Russie, Turquie et Ukraine. La nationalité et la langue d'origine n'ont pas fait partie des critères de sélection car la politique d'intégration du gouvernement n'en fait pas cas. Elle est censée s'appliquer à tous les immigrants et à tous les réfugiés politiques installés dans la province. Notre choix, aléatoire, s'est donc arrêté sur deux groupes de personnes en phase d'apprentissage du français comme langue seconde.

Les rencontres se sont déroulées sous forme de deux débats (afin de comparer les réponses apportées par les deux groupes), et ce pour permettre aux uns et aux autres de s'exprimer en public et de confronter des opinions différentes. Le débat donne, en effet, la possibilité de stimuler la communication car il provoque les échanges d'idées, permettant ainsi d'approfondir les avis, les convictions, les sentiments et les jugements lorsqu'il faut convaincre les autres, se justifier et clarifier ses déclarations face aux réactions, questions et contradictions du public.

Les deux groupes se sont prêtés au jeu à des moments différents et ont répondu, aux mêmes questions. Le rôle de l'animateur a été de poser les questions et de les clarifier, de vérifier à ce qu'il n'y ait pas de propos hors contexte, d'empêcher les interférences dues à la promptitude de certaines personnes plus volubiles, moins timides ou plus à l'aise en français, de distribuer les tours de parole lorsque c'était nécessaire, de synthétiser ce qui a été dit et de demander l'agrément du groupe quant à l'exactitude des conclusions tirées de ces discussions.

Afin de mener à bien l'enquête et de s'en tenir uniquement aux personnes concernées par la question de l'intégration, la sélection des participants s'est faite à partir des critères suivants:

1- Le statut au Canada
2- Le niveau du français écrit et parlé
3- Le pays où l'apprentissage du français a été effectué
4- La date d'arrivée au Canada

En effet, seuls les réfugiés politiques, les revendicateurs du statut de réfugié et les immigrants permanents ont été retenus. Les travailleurs temporaires, les touristes de longue durée, les gens d'affaires de passage et les étudiants étrangers n'ont pas été sélectionnés car ils ne projettent pas, d'une façon générale, de s'installer et de s'engager dans une vie stable au Québec.

Les personnes choisies ont toutes atteint un bon niveau de français écrit et parlé correspondant au dernier niveau dans les classes de francisation des commissions scolaires du Québec. Ce public est donc arrivé à la dernière étape de francisation, ce qui lui permet d'avoir des outils linguistiques suffisamment solides pour construire son argumentation et exprimer un jugement plus précis, plus détaillé et plus réaliste sur la politique d'intégration du gouvernement: l'appropriation de la langue de la communauté d'accueil donne l'accès à toutes les sphères publiques de la société et facilite la compréhension de leur fonctionnement. Ces connaissances linguistiques doivent, de plus, avoir été acquises au Québec car la découverte parallèle de la langue et de la société d'accueil donne plus de poids et de réalisme à des opinions émises dans un contexte d'intégration total.

Enfin, les participants doivent être considérés comme des nouveaux arrivants, c'est-à-dire être arrivés au Québec depuis moins de deux ans, pour qu'ils puissent encore être en phase d'intégration. Ainsi leur jugement reflètera une découverte vécue sur le moment. Cependant, il ne faut pas perdre de vue que le manque de recul face à la société dans laquelle ils vivent, ne permet pas toujours une perception réaliste du quotidien et peut donner lieu à des généralités et des clichés.

Afin de circonscrire le débat, les questions ont été établies autour des trois «thèmes clés» de notre démonstration, à savoir la langue, la culture et l'intégration. À l'intérieur de ces trois catégories d'analyse, se retrouveront, et ce de manière chronologique, les sujets suivants: la formation linguistique, la qualité de la langue, l'engagement politico-linguistique, les concepts larges et restreints de culture, l'engagement politico-culturel, la vision du gouvernement et leur vision personnelle de l'intégration et de l'engagement pour un présent et un avenir au Québec.

Dans un souci de clarté, nous rendrons compte ici de l'enregistrement des réponses des deux entretiens sous la forme d'une compilation unique résumée et synthétisée des discussions. Lorsque des différences ont été ressenties dans les réponses apportées par les deux groupes, nous le mentionnerons expressément. Toutes les phrases transcrites entre parenthèses sont des conclusions tirées par l'auteur seul.

Débat entre nouveaux arrivants : La langue

1- Comment estimez-vous votre français oral?

En ce qui concerne leur compréhension du français oral utilisé dans les lieux publics, ils l'estiment médiocre pour diverses raisons. En effet, en raison de l'accent de leurs interlocuteurs, souvent prononcé, des expressions et des fautes de grammaire, leur compréhension se voit affectée. Ils disent mieux se comprendre entre eux, c'est-à-dire entre immigrants de nationalités différentes, ou mieux comprendre leurs professeurs.

Pour déceler ces erreurs de grammaire et de phonétique, tous se fondent sur les cours de français qu'ils ont suivis, mais aussi sur la télévision, la radio et le théâtre où, d'après eux, le français est clair et intelligible. Nous pouvons ainsi constater que les nouveaux arrivants, bien que néo-francophones, sont souvent conscients des niveaux de langue et des lacunes grammaticales généralisées parmi la population de souche. Ils pensent savoir où entendre une langue française dite «correcte».

Quant à leur expression orale, ils estiment, d'une façon générale, qu'elle est bonne mais qu'elle est affectée par les facteurs mentionnés plus haut. En effet, ils demandent souvent aux gens de répéter ou de parler moins vite. Souvent aussi, ils répètent sans comprendre des expressions dont ils ne saisissent ni l'orthographe ni la signification exacte. Il leur arrive également de reproduire sans réfléchir des erreurs véhiculées dans la langue orale et populaire du Québec (tous ces problèmes sont générés non par le français entendu ici ou là, mais par la nouveauté de la langue).

Cependant, certains estiment qu'avec l'habitude (qui est, en effet, un des facteurs clé de l'apprentissage de n'importe quelle langue en milieu naturel) ces problèmes d'interférences grammaticales et phonétiques s'amenuisent, puis finissent par disparaître.

2- Comment estimez-vous votre français écrit?

Dans l'ensemble, ils estiment qu'ils écrivent mieux qu'ils ne parlent, car ils prennent le temps de réfléchir lorsqu'ils sont face à une feuille de papier. Ils considèrent leur expression écrite bonne, en général. Le temps est donc un facteur déterminant dans la composition de phrases grammaticalement et syntaxiquement correctes. Ils sont, en effet, plus à l'aise devant une feuille de papier et munis de dictionnaires et d'autres ouvrages de grammaire que dans une conversation orale, où la spontanéité et une rapide compréhension du corpus sont nécessaires.

3- Que pensez-vous des cours de français que vous avez suivis au Québec?

Aucun problème particulier n'est soulevé. Ils reconnaissent tous que le Québec a mis en place un bon réseau d'écoles de langue seconde pour les adultes. Les seuls problèmes qu'ils sont susceptibles de rencontrer relèvent davantage de l'administration, notamment des bureaux du ministère du Revenu minimal et d'Emploi Canada qui octroie le financement nécessaire à l'admission aux cours. Certains agents des bureaux cités hésitent à prolonger les financements lorsque l'étudiant a atteint son sixième niveau et qu'il désire continuer ses études à un niveau plus avancé. Là encore, un facteur (ici d'ordre administratif) peut interférer dans leur apprentissage du français, surtout lorsqu'ils veulent atteindre les niveaux supérieurs et, ainsi, approfondir leurs connaissances dans un souci de réussite sociale directement rattachée à la rapidité de leur processus d'intégration.

4- Que pensez-vous de la qualité du français qui vous a été enseigné?

Tout dépend de l'enseignant. Ils ont tous eu plusieurs enseignants dans leur scolarité (au moins 4) et, pour chacun d'entre eux, il y eu de mauvaises expériences vécues avec au moins un professeur. Ces mauvaises expériences étaient dues à une pédagogie mal appropriée, ou à un désintérêt pour leur performance scolaire.

Mais tous reconnaissent que c'est le lot de tous les étudiants que de rencontrer dans leur parcours académique un ou des professeurs plus ou moins performants.

5- *Vous sentez-vous capables d'occuper un poste professionnel à responsabilités avec vos connaissances actuelles du français écrit et oral?*

Lorsqu'il s'agit de leur domaine professionnel, ils sont tous prêts à affronter le monde du travail et à avoir des responsabilités au sein d'un éventuel poste.

Certains émettent cependant une crainte relative à leur méconnaissance d'un vocabulaire spécialisé, c'est-à-dire face au jargon professionnel.

La langue ne paraît pas être une barrière insurmontable. Dès qu'ils se sentent «à l'aise» en français, ils sont prêts à relever les défis de l'intégration au marché de l'emploi.

6- *Que pensez-vous du débat sur la langue?*

Peu de réactions se font entendre au début, puis celles-ci deviennent plus claires, mais disparates, sans grands rapports entre elles. Certes, ils ne sont pas intéressés à le suivre de près. Ils rapprochent le problème la langue à celui de l'indépendance. Ils pensent que les Québécois sont en train de se chercher une identité. Ils disent avoir des opinions, mais ne se sentent pas concernés.

Le deuxième groupe a l'air de se sentir plus compréhensif face au débat sur la langue, mais reproche aux médias d'en faire un débat répétitif qui n'évolue pas. D'après eux, la télévision et les journaux devraient diversifier les thèmes sociaux: on parle trop de la langue et pas assez du chômage, de la drogue, de la violence chez les jeunes, des programmes de santé et du rôle des personnes âgées dans la société.

Cependant, les deux groupes estiment normal que les Québécois se battent pour cette cause car elle touche directement leur culture, donc leur identité. Le débat sur la langue est avant tout perçu comme un débat politique, car la conservation de la langue française est le seul enjeu des référendums, des débats à la Chambre des communes, des lois sur l'affichage public et de la sélection des immigrants.

7- Êtes-vous prêts à vous battre (manifestations, participation à des commissions, plaintes auprès de votre député, rédaction de lettres aux journaux, ...) pour conserver le statut officiel du français au Québec?

Ils refusent de façon catégorique de s'engager dans cette lutte pour défendre la cause du français: car elle est est avant tout et surtout une cause qui ne concerne que les Québécois.

Ils comprennent cependant les revendications des Québécois en matière linguistique et arrivent très facilement à faire la part des choses: s'engager dans un processus d'apprentissage du français n'est pas s'engager pour la défense de la langue française. Apprendre le français est une nécessité, un besoin qui correspond à une réalité quotidienne (trouver un emploi, intégrer l'université ou le collège...). Il existe bel et bien un décalage entre les attentes du gouvernement provincial (en matière de politique d'intégration) et celles des nouveaux arrivants.

8- Pourquoi apprenez-vous le français?

Ils l'apprennent pour des raisons de survie, parce qu'il s'agit d'une priorité pour trouver un emploi, parce que le français est la langue officielle du Québec et parce que leurs enfants sont scolarisés en français.

Autant de raisons qui font référence à des aspects socio-économiques de la question.

La culture

1- Trouvez-vous que le Québec est une terre culturellement riche?

La réponse est négative d'emblée. Ils trouvent la vie artistique active à Montréal, mais déplorent un manque d'identité à laquelle les Québécois puissent se référer.

D'un autre côté, ils considèrent le niveau de culture générale faible par rapport à celui exigé par leur pays d'origine, pourtant souvent défavorisé économiquement. Pour eux, même les pays en voie de développement sont plus riches culturellement car les populations peuvent s'identifier à un symbole culturel valorisant ou à une identité. De plus, ceux qui ont des enfants scolarisés dans les écoles du Québec pensent avoir eu accès à une éducation scolaire plus stricte et plus exigeante que celle offerte par la province.

Dans le premeir groupe, plusieurs personnes estiment qu'il s'agit davantage d'un problème plus nord-américain que québécois.

2- Comment définiriez-vous la culture québécoise?

La culture est perçue à travers mœurs et les coutumes de la société. Aucune autre information n'a été apportée. Ils éprouvent beaucoup de difficultés à définir une culture nationale au Québec. Ils voient seulement dans la langue française une caractéristique qui différencie le Québec du reste du Canada et des États-Unis. Le français serait donc un symbole, un emblème d'identité culturelle, mais uniquement sur le plan linguistique. Le Québec est, pour eux, un territoire nord-américain dont la population partage un mode de vie identique à celui du reste de la population du continent.

Au Québec, ils se sentent en sécurité économique au sein d'une société de marché économiquement forte et faisant partie d'un tout caractérisé par le capitalisme et la démocratie.

3- Comment vous définissez-vous culturellement par rapport à la société qui vous accueille?

La majorité se définit par rapport à son pays d'origine. Certains se disent Canadiens de souche étrangère (il est intéressant de noter que personne des deux groupes n'a encore obtenu sa citoyenneté canadienne). Personne ne se définit par rapport au continent nord-américain. Le Québec est, avant tout, leur lieu de résidence. Aucun ne se sent Québécois, à l'exception d'une personne du premier groupe qui trouve important de se définir par rapport au Québec, car c'est la seule province culturellement différente du reste du Canada. Mais cette même personne ne se dit pas Québécoise, elle préfère être Chilienne-Québécoise.

(Il est encore difficile de rallier les nouveaux arrivants à une identité québécoise. Peut-être est-ce dû à ce regard très nord-américain porté sur le Québec.)

4- Êtes-vous pour ou contre l'indépendance ou toute autre forme de souveraineté du Québec? Pourquoi?

Là encore, une réponse négative est venue rapidement. Dans le deuxième groupe, la question a d'abord été accueillie par des rires dispersés.

Leur réaction donne l'impression que le thème abordé est chargé de connotations de tout ordre, que la réponse est déjà élaborée sans qu'il soit nécessaire de débattre plus longtemps: on s'en tient à l'idée que les immigrants ne peuvent se déclarer favorables à l'indépendance de la province.

L'intégration

1- Comment percevez-vous votre sentiment d'appartenance à la communauté culturelle de votre pays d'origine établie au Québec? La fréquentez-vous (réunions politiques ou culturelles, fêtes religieuses, fêtes nationales...)?

Tous ont un sentiment d'appartenance à leur pays d'origine mais pas spécifiquement à leur communauté culturelle installée au Québec, ou plus particulièrement à Montréal. Ils ne la fréquentent pas parce qu'ils reprochent aux immigrants de leur pays d'origine leur manque d'entraide et de solidarité. C'est le «chacun pour soi». Ils ont donc décidé de suivre le même chemin.

Trois d'entre eux se sont impliqués dans des associations. Deux ont laissé tomber la vie associative et une autre a préféré s'engager dans le militantisme syndical.

2- Voyez-vous des différences d'habitudes de vie au Québec par rapport à votre pays d'origine? Lesquelles?

La corruption, le respect des droits de la personne, les conditions de vie sont les premiers thèmes abordés. Ils découvrent au Québec une véritable application au quotidien de la démocratie.

Ils trouvent les gens courtois mais fermés. Les Québécois de Montréal sont individualistes et trop susceptibles lorsqu'il s'agit de discussions sur la langue ou sur l'avenir de la province. Le fossé est trop grand dès le départ, à cause de ce facteur. C'est la raison pour laquelle les relations entre les Québécois et les immigrants et réfugiés sont presque impossibles en terme d'amitié durable et solide. On se contente de relations formelles, mais trop simplement polies.

De plus, la majorité des participants estiment que les jeunes Québécois sont «mal éduqués» et ne respectent pas les adultes: aucune hiérarchie fondée sur l'âge et le statut social n'existe.

3- Ces habitudes de vie vous dérangent-elles? Vous choquent-elles?

Les personnes interrogées sont choquées par l'existence d'une pauvreté qui côtoie une richesse ambiante et l'opulence de la société en général, mais ils acceptent ce fait comme une fatalité qui découle de l'organisation et de la structure économique des pays capitalistes.

De plus, ils comprennent mal l'attitude des jeunes par rapport aux personnes âgées. Beaucoup sont troublés par l'existence des maisons de retraite. Ils y voient un moyen d'écarter cette catégorie de gens de la vie publique et de les reléguer dans des mouroirs.

Tout au long du débat, nous pouvons constater que la notion de solidarité est très ancrée dans la mentalité des participants. Cette notion devrait, selon eux, être un des enjeux nationaux.

4- Vous sentez-vous intégrés? Pourquoi?

La réponse se fait attendre, ils ne savent comment exprimer ce sentiment. Ils disent se sentir bien ici, mais ils perçoivent une réticence de la part du gouvernement et des officiels à leur présence dans la province. Beaucoup font référence aux propositions qui ont été faites lors des Commisssions itinérantes concernant l'avenir du Québec avant le référendum de 1996. Ils pensent que, même une fois leur citoyenneté obtenue, ils resteront des immigrants aux yeux des Québécois, quels que soient leur statut et la durée de leur installation dans la province.

5- Iriez-vous vous installer, au Québec, dans un endroit autre que Montréal, pour des raisons professionnelles, familiales, amicales, culturelles ou personnelles?

Une personne émet le désir de s'installer à la campagne pour y bénéficier de ses avantages et fuir ainsi le stress de la ville. Quatre autres participants n'excluent pas l'idée de s'établir à Toronto ou à Vancouver, mais espèrent cependant trouver une place stable à Montréal.

En cas d'indépendance du Québec, plus de la moitié pense s'installer hors du Québec, mais à contrecœur.

Malgré tous les problèmes soulevés lors du débat sur l'indépendance, ils considèrent enviable leur situation au Québec. Les facteurs de rejet ne sont pas suffisamment forts et présents pour motiver un départ vers d'autres provinces du Canada.

6- Êtes-vous pour ou contre l'obligation d'une scolarisation en français des enfants d'immigrants au Québec?

À titre d'information, il est nécessaire de noter que 18 personnes (sur 37 au total) ont des enfants.

Ils ne verraient aucun problème si le gouvernement leur laissait la possibilité d'inscrire leurs enfants dans des écoles bilingues, à l'image du pays. L'un d'entre eux est radicalement contre la scolarisation obligatoire en français, en raison du faible niveau de culture générale et de la médiocrité des programmes scolaires des écoles francophones.

L'idée d'un pays bilingue décloisonné est mal comprise par la plupart. Pour eux, le Canada devrait être un «véritable pays bilingue» d'est en ouest, le bilinguisme ne devrait pas être réservé aux services fédéraux. Personne ne voit le danger, lorsque le problème est soulevé lors de la discussion, d'un dépérissement de la langue française si la scolarisation en français ou en anglais était possible dans tout le pays.

7- Êtes-vous au courant des programmes gouvernementaux d'équité (promotion des communautés culturelles, Conseil des communautés culturelles et de l'immigration, programmes d'égalité des chances au travail et de discrimination positive)?

Les réponses sont évasives car ils n'ont pas l'air au courant de ce genre de structures. Une personne du deuxième groupe fait cependant savoir que les services de police de la Communauté urbaine de Montréal ont un programme d'embauche qui favorise la candidature des immigrants.

8- Pensez-vous que le Québec donne des chances de réussite égales aux Québécois et aux nouveaux arrivants?

Ils sont persuadés que des chances leur seront données, mais qu'ils seront désavantagés d'emblée par rapport aux Québécois de souche. Un employeur donnera d'abord un poste à un Québécois et, en cas de manque de main d'œuvre, à un immigrant. Certains estiment que ce système officieux est le même dans tous les pays à forte immigration. D'autres pensent que les immigrants occupent souvent des emplois délaissés par les Québécois à cause du manque de prestige qui leur est attribué.

9- Pensez-vous que les chances de réussite sont les mêmes au Québec que dans le reste du Canada?

Aucun n'a vécu au Canada à l'extérieur du Québec. Du Canada, ils ne connaissent, pour ainsi dire, que le Québec. Huit d'entre eux ont vécu aux États-Unis, mais jamais plus de deux années consécutives.

Ils sont persuadés, d'après ce qu'ils ressentent et ce qu'ils ont pu entendre dire, que les Canadiens anglophones sont davantage ouverts à l'idée d'employer et de donner sa chance à un immigrant qui arrive au pays. Cependant, ils pensent qu'au Canada anglophone, les mises à pied et les renvois sont plus fréquents lorsqu'on ne correspond pas au profil de l'entreprise.

10- Et pour vos enfants? Quelles sont leurs chances de réussite pour demain?

Ils savent que leurs enfants seront mieux adaptés à la vie sociale, politique et culturelle du pays et de la province, à cause de l'éducation qu'ils ont reçue dans les écoles d'ici. Même s'ils ne se considèrent pas eux-mêmes comme faisant partie d'une génération perdue, ils sont bien conscients du fait que leurs enfants seront d'abord Canadiens, avant d'être autre chose, et que leurs chances de réussite professionnelle seront beaucoup plus grandes.

Synthèse du débat

Même si, à certains moments, les réponses des personnes interrogées font figure d'affirmations à l'emporte-pièce, elles n'en demeurent pas moins claires. En effet, elles correspondent, malgré tout, à un état d'esprit vécu sur le moment par rapport à une situation économique, sociale et culturelle ambiante. Ces réponses permettent de prendre conscience qu'un malaise subsiste à différents égards, comme nous allons le voir plus loin. Toutefois, l'implication des participants dans le débat dépendra souvent de la question qui était posée. Par exemple, celles portant sur la langue et la culture québécoise — qui ne leur appartiennent que par apprentissage et mimétisme — demandaient plus de temps de reflexion et les réponses étaient souvent hésitantes. Alors que d'autres posèrent des problèmes et provoquèrent des interventions différentes, par exemple lorsqu'il s'agissait, de connaître le système politique canadien ou le système social ou législatif du Québec, afin de bâtir une argumentation solide. Peu d'étudiants critiquèrent les structures sociales ou économiques de la province en les nommant explicitement, sûrement par manque de compréhension ou de discernement, faute de connaissance précise sur le sujet. Cependant, quand les questions faisaient allusion à des concepts généraux de langue ou de culture, leur implication était totale: les réactions étaient vives, car elles faisaient appel à des conceptions de la vie reposant sur des expériences personnelles.

Ce qui ressort de manière assez évidente de ce débat est que l'intégration, qui devrait refléter une véritable négociation entre le gouvernement et les immigrants, n'est pas une réussite totale. Même si la situation des nouveaux arrivants est bonne dans l'ensemble, elle ne correspond pas à ce que le gouvernement attend de la part de ceux qui sont venus se greffer à la société d'accueil: leur engagement dans la lutte culturelle est quasi inexistant, mais ils ont su, cependant, se servir d'outils offerts par ce même gouvernement à des fins d'intégration individuelle.

L'exemple le plus flagrant est celui du rapport avec la langue française. Aucun d'entre eux n'a fait part de son amour de la langue française, du prestige qu'elle pouvait leur offrir, du caractère linguistique original et attrayant du Québec ou de l'aspect séduisant de la culture québécoise. Les nouveaux arrivants, on le comprend bien, sont pour la plupart venus trouver, au Québec, un refuge économique, social ou politique, mais certainement pas culturel.

Sans pour autant rejeter en bloc la culture québécoise et les revendications culturelles de la majorité des Québécois (qu'ils comprennent plutôt bien et qu'ils acceptent), ils ne se sentent pas engagés dans une telle lutte, qui ne correspond pas à ce qu'ils sont venus chercher ici. Ils semblent heureux à Montréal, car la province sait et peut leur offrir ce qu'ils n'ont pu obtenir dans leur pays d'origine: une stabilité sociale et économique, un cadre de vie correct, des chances de réussite professionnelle, une justice digne de ce nom, une scolarité pour leurs enfants... Bref, un bien-être qui est d'ordre social, politique et économique, mais dont la culture ne fait pas encore partie. Le gouvernement n'a donc pas échoué sur toute la ligne, mais il n'a pas réussi à faire accepter, même s'il a été compris, son message d'engagement culturel et politique.

Il est toutefois important de relativiser les résultats d'une telle analyse. Ne perdons pas de vue qu'il s'agit, dans ce cas précis, de personnes ayant fui une situation difficile, réfugiés et immigrants confondus, même si les problèmes rencontrés dans les pays d'origine de chacun ne sont pas tous comparables: certains ont fui la mort, d'autres la torture, d'autres encore un manque de liberté ou simplement de confort. En effet, notre enquête ne tenait pas compte des étudiants étrangers, peut-être également désireux de s'installer au Québec, attirés par le caractère culturel particulier du Québec et que l'on retrouve certainement davantage dans les cours de langue française et de civilisation des universités de la province.

Mais le résultat ne transmet pas moins l'idée que le discours officiel ne correspond pas aux attentes et aux besoins des personnes auxquelles il s'adresse; les immigrants et les réfugiés politiques espérant davantage du gouvernement qu'il s'exprime clairement sur les capacités de réussites sociales et économiques, mais aussi culturelles, que le Québec peut offrir à chacun d'entre eux.

Chapitre 7

Réussite ou échec de la politique d'intégration québécoise?

Intégration: enjeu politique ou culturel?

La politique d'immigration et les structures d'intégration québécoises devraient faire figure de modèle aux yeux d'autres sociétés pluriculturelles. Les gouvernements successifs, depuis maintenant plus de 20 ans, ont tout mis en œuvre pour faire de la province une véritable terre d'accueil qui offre, non pas les chimères du rêve américain, mais un tremplin solide et concret pour permettre à des dizaines de milliers de personnes de refaire leur vie. Aucun pays d'immigration du monde occidental ne peut se targuer d'offrir aux immigrants et réfugiés politiques la quantité et la qualité de services liés à l'immigration et à l'intégration que le Québec a mis en place.

Cependant, la position du gouvernement mène à une impasse en matière d'intégration culturelle car elle fait référence à une notion d'ethnicité culturelle et universelle qui ne concerne, historiquement et ethniquement parlant, que la société québécoise de souche. N'y a-t-il pas confusion, voire contradiction, dans les choix délibérés du gouvernement?

En effet, une culture est ethnique lorsque des liens historiques associent une langue, une origine, une religion, un lieu et des habitudes de vie. Ces liens donnent naissance à une identité culturelle dont les valeurs, les références et les codes de vie concernent un groupe social spécifique.

Lorsque le gouvernement fait de cette culture, propre à la majorité blanche, francophone et catholique d'Amérique du Nord, un concept universel que doivent s'approprier les nouveaux arrivants, il met en place une stratégie politique périlleuse. Les immigrants et les réfugiés politiques, même s'ils comprennent le principe des revendications culturelles des Québécois, refusent de s'associer à une lutte qui n'est pas la leur. Ce n'est certes pas le gouvernement qui réussirait à les convaincre du bien-fondé d'un tel engagement: nous vous offrons l'asile, nous vous offrons une qualité de vie, alors offrez-nous votre participation à notre lutte culturelle. La motivation des nouveaux arrivants devrait être la réponse à une séduction culturelle exercée par la communauté d'accueil mais elle semble peut présente dans les discours et les actes destinés à ceux sur qui elle devrait faire effet.

Même si tous les Québécois ne s'entendent pas pour se définir à partir de critères religieux ou ethniques, il est clair que toute la population d'origine partage le même bagage culturel et que son contenu lui sert de balise et de repère afin de circonscrire culturellement, socialement et économiquement ce qu'est aujourd'hui le Québec, c'est-à-dire la société à laquelle ils appartiennent.

Le défi premier du gouvernement ne devrait être ni de définir les droits et les devoirs du nouvel arrivant face à la culture d'accueil ni de lui assigner le rôle d'outil de renforcement de cette culture, face au reste du Canada, voire au reste de l'Amérique du Nord. Les immigrants du Québec sont en mesure de déceler dans le discours officiel, mais également dans celui de certains journalistes et politiciens, les clichés et les accusations formulés à leur encontre: qu'ils apprennent l'anglais à la place du français, qu'ils arrivent au Québec, puis s'en vont en Ontario une fois leur statut acquis, qu'ils n'ont pas la fibre nationaliste (celle qui devrait porter le Québec vers l'autonomie). De cette manière, l'ethnicité devient un enjeu politique avant d'être un enjeu culturel au sens strict du terme. En effet, il est avant tout question de promotion culturelle, de revendication linguistique et de renforcement du caractère culturel distinct du Québec. Par le fait même, l'immigration devient un enjeu politico-culturel, ce qui restreint ainsi le concept de culture nationale à une définition fortement teintée de militantisme et d'engagement, donc de politique.

Cependant, aucune définition explicite n'est apportée à cette notion de culture nationale, car le gouvernement préfère parler de revendication linguistique, de langue commune, de lutte démographique, d'égalité des sexes, d'économie de marché, de protections des minorités sociales et visibles....Bref, de tout ce qui a trait aux éléments intégrés pêle-mêle à un projet de société d'un «Québec moderne». Le gouvernement devrait faire la part des choses entre ces éléments qui relèvent tantôt des enjeux d'une intégration fonctionnelle (comprendre ici, civique), tantôt de l'enjeu d'une intégration culturelle (personnelle et motivée).

Le caractère trop politisé, trop engagé, trop culturellement restreint des rôles attribués sans distinction à ceux qui composent aujourd'hui la population de la province nous font craindre d'adopter, dans cet ouvrage, les formulations de «Québécois des communautés culturelles» ou de «néo-Québécois» proposées par le gouvernement. Un étranger ne peut se définir comme Québécois tant que le gouvernement tentera de promouvoir la culture de souche comme une culture commune à tous les membres de la société du Québec, à l'aube de l'an 2000.

Comment un immigrant ou un réfugié politique peut-il répondre aux attentes gouvernementales s'il ne se sent pas séduit, attiré et convaincu par son discours et par la réalité qui l'entoure? Nous risquons même d'observer l'effet inverse et de voir les nouveaux arrivants réagir vivement à l'encontre des propositions ou des projets gouvernementaux, peut-être parce qu'ils désirent fuir, d'une manière ou d'une autre, l'identité et le rôle qu'on essaie de leur assigner.

Ainsi, le projet de société interculturelle proposé échouera toujours au chapitre de l'intégration culturelle. Les gouvernements de la province, sûrement par souci démagogique, espèrent flatter une certaine partie d'un électorat inquiet, en mettant sur pied une politique d'intégration culturelle utopique qui donne une vision floue et abstraite de la préservation de la culture de la majorité. La notion d'intégration culturelle devrait davantage concerner un désir personnel, de la part du nouvel arrivant, de s'intégrer ou non, à la sphère culturelle qui représente le Québec d'aujourd'hui. Quand les enfants d'immigrants nés au Québec, ou qui y ont été éduqués depuis leur jeune âge, prendront, en collaboration avec les Québécois francophones de souche, les commandes des grandes sociétés ou deviendront des gens influents, voire des dirigeants, il sera alors possible de parler concrètement de société interethnique et non plus uniquement de société multiethnique. Actuellement, le nombre de personnes adultes nées au Québec de parents immigrants est trop peu important sur le plan décisionnel pour que l'on puisse se rendre compte de l'impact produit sur la définition de la «culture québécoise», reflet d'une société pluriethnique.

Intégration culturelle: leurre ou réalité?

Si la langue est intrinsèque à la culture d'une société donnée, comme le français l'est à la société québécoise, la rendre officielle et obligatoire n'est pas *a priori* une façon d'isoler les non francophones dans leur sphère culturelle respective mais, comme nous avons pu le voir, d'unifier linguistiquement la population afin d'en faciliter les échanges. La langue, en effet, ne doit pas uniquement avoir un rôle de moteur culturel, elle doit servir d'outil pratique dans lequel tout le monde puisse se retrouver. Cependant, les textes officiels confondent les divers rôles à attribuer à la langue. De leur côté, les nouveaux arrivants savent qu'apprendre le français, lors de tout processus d'intégration culturel, s'avère davantage une question de survie que d'amour. Une langue, surtout en contexte d'intégration, devrait d'abord être appréhendée comme langue véhiculaire, sans pour autant lui soustraire ses caractéristiques de langue vernaculaire dont les aspects sentimentaux et affectifs renvoient à une conscience collective commune.

Le français, même s'il fait référence à des cultures spécifiques, doit garder son caractère universel; il peut s'apprendre pour des raisons sentimentales, culturelles, mais il peut aussi s'apprendre par besoin. Ainsi, personne ne peut exiger des nouveaux arrivants qu'ils embrassent la culture québécoise dans son ensemble, mais on est en droit d'attendre d'eux qu'ils intègrent la partie dissociable qu'est sa composante linguistique.

L'habileté linguistique de produire un message parlé, voire écrit, et de comprendre d'autres discours provenant de francophones est un atout. De plus, les codes de la vie courante seront mieux compris une fois la langue française maîtrisée, et la connaissance de la civilisation du Québec sera un facteur essentiel au décodage des habitudes de vie, à leur bonne interprétation et au développement d'un intérêt et d'une volonté de participer à la vie politique, culturelle et économique du pays.

C'est ainsi que l'apprentissage du français devient pour les nouveaux arrivants un outil indispensable qui va leur permettre de franchir les barrières établies par une langue qui ne leur est pas familière. Cependant, devenir francophone signifie deux choses: maîtriser le code linguistique et devenir un interprète des actions de la vie sociale à caractère culturel, politique, économique, et liées aux expériences historiques et contemporaines de la société d'accueil. Ces deux conditions sont nécessaires à une intégration dans la sphère de communication globale, c'est-à-dire celle partagée par les francophones de souche et par les néo-francophones.

Le nouvel arrivant aura donc des efforts à fournir afin de pénétrer cette sphère qui, à l'origine, lui est inconnue et ce, même s'il partage déjà la langue de communication de la majorité. Il n'existe pas de repères universels, ou provenant d'une expérience ou d'un passé commun, l'autorisant à comprendre et à interpréter des énoncés que les Québécois comprendront et interpréteront, eux, de manière automatique, grâce à des repères historiques presque innés. Cet effort à fournir demande un investissement personnel pour lequel il n'existe ni cadre scolaire, didactique ou politique.

Si la coercition correspond bien à un concept de langue publique, la séduction devra être suffisamment forte pour convaincre l'immigrant d'en adopter les valeurs, les codes culturels... Ce dernier aspect est capital, mais les gouvernements ne tiennent pas compte actuellement des étapes de changement culturel par lesquelles les nouveaux arrivants doivent passer afin de s'adapter à la société d'accueil et d'y être à l'aise. Ce processus est vécu individuellement par toutes les personnes qui s'installent «ailleurs» et pas même l'État ne peut structurer, diriger et contrôler les chocs culturels, les désillusions et les réajustements culturels vécus par chacune d'entre elles.

En effet, jamais les immigrants ne formeront une communauté homogène, tant sur le plan culturel que social, car on leur demande en même temps de rester fidèles à leurs origines ethniques, mais également à la culture d'un groupe ethnique majoritaire et de faire ensemble la route qui les mènerait à un projet culturel commun. Cette définition gouvernementale de l'intégration culturelle, où se mèlent solidarité et cohésion des groupes sociaux, est tout simplement utopique. Le concept de langue nationale est le seul et unique moyen de réunir une population, toutes origines confondues, autour d'un modèle culturel restreint. L'unité culturelle autour de la langue devient alors un objectif viable, étant donné qu'il n'empêche pas une cohabitation multiculturelle harmonieuse et défendable. Penser que le Québec doit être unifié culturellement, au sens large du terme, reviendrait à nier avec le temps, l'existence simultanée de la diversité culturelle et d'une culture spécifique inhérente au passé et au présent de chacun: il n'y a pas d'élément commun d'interprétation qui se trouve être en lien direct avec la culture propre à chaque individu.

En revanche, il paraît évident qu'une culture bien définie, c'est-à-dire ancrée dans l'ethnicité, relie une majorité de la population. La culture québécoise peut, en effet, être considérée comme la culture nationale, mais elle ne sera que celle des Québécois de souche même si elle est présente dans le quotidien de tous; elle peut aussi devenir, peu à peu, celle de ceux qui désirent en faire la leur. Il est normal que le temps, le nombre et l'espace jouent en faveur de cette culture majoritaire, mais elle ne doit pas être une entrave à l'existence des autres.

Les gouvernements successifs du Québec donnent l'impression de se convaincre et de convaincre l'opinion publique que la culture québécoise a la capacité de devenir culture universelle, alors qu'ils devraient limiter leur fonction à faire respecter aux étrangers des règles sociales, économiques et culturelles déjà établies. La démocratie est le seul référent universel que devrait retenir le discours officiel car il s'agit du seul principe qui prend son sens dans l'universalisme: un démocrate francophone n'est pas nécessairement un Québécois.

Les défenseurs de l'interculturalisme ne peuvent se permettre de définir des objectifs culturels communs à partir de critères soutirés à la culture majoritaire. De plus, ces projets restent abstraits et ne peuvent reposer sur aucune culture universelle: mis à part la langue et le concept de démocratie (qui pourtant porte des stigmates culturels définis), aucune culture ne peut prétendre imposer à d'autres son passé, son encyclopédie et ses modèles d'interprétation de la vie.

Le gouvernement confond trop souvent intégration fonctionnelle et intégration culturelle, ce qui nuit considérablement au réalisme de ses politiques d'intégration. Cependant, nous ne pouvons pas affirmer qu'il n'y a pas d'intégration harmonieuse au Québec, car ce dernier n'est ni en proie à la ghettoïsation à la française ou à l'américaine, ni à la ségrégation, ni à la guerre ethnique. Toutefois, les gouvernements, motivés par un certain relent nationaliste, construisent la société d'aujourd'hui et de demain sur des leurres identitaires, en occultant le fait que les immigrants, d'une façon générale, ne se reconnaissent pas culturellement dans le modèle de la société d'accueil mais davantage dans sa manière de vivre, manière partagée par la plupart des pays démocratiques, et qui ne constitue pas pour autant un trait distinctif du Québec.

Conclusion

Nous n'avons pas voulu démontrer que le concept de culture nationale était révolu. Il faut se rendre à l'évidence: il soulève encore des débats houleux — selon les règles établies par la démocratie —, et il est impossible (car irréaliste) de le reléguer aux oubliettes. Dans cette même optique, nous ne pouvons également considérer comme discriminatoire l'insertion de ce concept à un contexte de reconnaissance culturelle — situation saine et bénéfique, là encore —, au débat démocratique, donc à la propre survie de la démocratie. En effet, il n'a jamais été question dans cet ouvrage de démontrer que le Québec penchait pour un «racisme institutionnalisé», mais seulement de dénoncer un projet de société qui échouera toujours tant que la culture québécoise sera présentée comme un modèle universel aux personnes qui s'installent dans la province. Sa structure l'est, sa culture non, comme aucune autre culture à travers le monde.

Rien ne sert de jeter la pierre à la société d'intégration sans comprendre sa motivation à protéger une langue qui, géographiquement et historiquement, se trouve isolée au sein d'une puissance économique dotée d'un fort pouvoir d'attraction auprès d'immigrants et de réfugiés politiques. En effet, au Québec, ce sentiment d'isolement linguistique est l'un des principaux facteurs de ce radicalisme linguistico-culturel. Cependant les gouvernements successifs de la province, depuis la Révolution tranquille, semblent oublier que le Québec possède également ce pouvoir attractif car il n'est pas en marge de cet immense complexe socio-économique qu'est le continent nord-américain. La langue ne viendra jamais remettre en cause la puissance du Québec si les choix sont définis comme des faits et non comme des justifications. Le français est la langue officielle de la province au même titre qu'elle l'est en France; les structures politiques, économiques, sociales et culturelles sont là pour renforcer cette réalité. Les discours, les débats que l'on entend aujourd'hui à ce propos et auxquels nous participons bien malgré nous, ne vont rien apporter de neuf à la légitimité de la situation linguistique de la province. Bien au contraire, ils risquent de l'altérer car, aux yeux de bon nombre de nouveaux arrivants (et même de plus anciens), ils semblent exister pour convaincre la population que l'anglais n'a pas sa place au sein de la société et que le français y est bien une langue légitime.

Cependant, le concept de culture nationale, auquel doivent se rallier tous les nouveaux arrivants, est une mauvaise piste à suivre pour atteindre une harmonisation des différentes cultures qui font le Québec d'aujourd'hui. Cette harmonisation devrait être le résultat d'une véritable négociation entre le gouvernement et les immigrants, d'une véritable séduction naturelle que devrait exercer la culture québécoise, dans toutes ses caractéristiques, auprès des étrangers venus s'installer en son sein. Mais une culture politisée ne les intéressent pas: c'est une réalité. Il suffit de se référer aux résultats du dernier référendum sur la souveraineté de la province pour en avoir des preuves concrètes, mais également aux estimations de vote pour les prochaines élections provinciales.

Même si «c'est précisément sous l'aspect linguistique que la plupart des États envisagent la planification de la diversité ethnoculturelle[16]», il ne faudrait pas confondre politique d'intégration et kidnapping culturel, ainsi qu'inclure la langue, outil d'unité, d'intégration et de fonctionnement social à un concept trop astreignant de culture nationale universelle. En effet, les textes gouvernementaux font trop souvent références à l'enracinement en terre québécoise et à l'engagement pour la défense du fait français et certains politiciens ou journalistes influents ne se lassent pas de rappeler que Montréal, voire le Québec tout entier, perd de sa «québécitude» à cause de l'immigration massive. Tous ces aspects font croire à la population néo-québécoise qu'elle a l'obligation morale de servir la cause culturelle de la province pour y légitimer sa présence, son existence. Voilà ce que nous pouvons appeler un kidnapping culturel.

À force de ressasser les échecs historiques du Québec face au Canada, à force de tout entreprendre pour se démarquer culturellement du reste du Canada, à force de planifier des politiques d'intégration irréalistes, à force de débattre sur le statut de la langue française, le temps avance et le Québec, replié sur lui-même, s'immobilise par rapport au reste de l'Amérique du Nord qui, elle, continue d'absorber

16. Selim Abou, *L'identité culturelle — Relations interethniques et problèmes d'acculturation*, Paris, Anthropos, 1986, chapitre IX: Mythe et réalité dans l'émigration.

socialement, économiquement et même culturellement des centaines de milliers d'immigrants chaque année. Pendant ce temps, le Québec, engoncé dans sa politique d'intégration culturelle forcée, fulmine de voir tant d'immigrants quitter la province pour l'Ontario et la Colombie-Britannique. Désire-t-il réellement les voir rester?

Bibliographie

Livres

ABOU, Selim. *L'identité culturelle — Relations interethniques et problèmes d'acculturation*, Paris, 1986, Anthropos, p. 235.

— *Histoire générale du Canada*, Sous la direction de Graig Brown, Montréal, 1990, Bibliothèque nationale du Québec, Boréal, p. 694.

BISSOONDATH, Neil. *Selling illusions-The cult of Multiculturalism in Canada*, Toronto, 1990, Penguin Books, p. 234.

BROWN, Graig, sous la direction de, *Histoire générale du Canada*, Montréal, 1990, Boréal, p. 694.

CAUQUELIN, Anne. *Aristote, le langage*, Paris, 1990, Presses Universitaires de France, p. 200.

HALL, Edward T. *Au-delà de la culture*, Paris, 1979, Seuil, p. 234.

— *Le langage silencieux*, Paris, 1984, Seuil, p. 237.

HOIJER, Harry. T*he Sapir-Whorf Hypothesis, in Intercultural Communication: a reader*, (Larry. A. Samovar et Richard E. Porter). Belmont (États-Unis d'Amérique, Californie), 1972, Wadsworth Publishing Company, p. 343.

KIM,Young Yun. *Communication and Cross-cultural adaptation*. Clevedon (Grande Bretagne) 1988, Multilingual Matters Ltd, p. 223.

LABELLE, Micheline et LÉVY, Joseph J. *Ethnicité et enjeux sociaux — Le Québec vu par les leaders de groupes ethnoculturels*. Montréal, 1995, Liber, p. 377.

STOICIU, Gina et BROSSEAU, Odette. *La différence, comment l'écrire? Comment la vivre?- Communication internationale et communication interculturelle*, Montréal, 1989, Humanitas, p. 246.

Publications gouvernementales

Ministère des Communautés culturelles et de l'Immigration. 1991, Québec, Énoncé de politique en matière d'immigration et d'intégration, Québec, Les publications du Québec, 1991, p. 88.

Conseil des Communautés culturelles et de l'Immigration. 1994. *Rapport annuel, 1993-1994,* Québec, Les publications du Québec, p. 27.

— *Accord Canada-Québec relatif à l'immigration et à l'admission temporaires des aubains,* 1991, Québec-Canada, p.35.

NGUYEN, Hoa et PLOURDE, François. *Les besoins relatifs à l'apprentissage du français chez les immigrants adultes admis au Québec entre 1992 et 1995 et ne connaissant pas le français (région de Montréal)*, Collection Notes et Documents N°7, Direction des politiques et programmes d'intégration et Direction des communications du ministère des Relations avec les citoyens et de l'Immigration, 1997, p. 70.

BAILLARGEON, Mireille. *Immigration et langue*, Collection Statistiques et indicateurs N°14, Direction de la recherche, de la planification, de l'évaluation et de la vérification et Direction des communications du ministère des Relations avec les citoyens et de l'Immigration,1997, p. 114.

Le Québec en mouvement, statistiques sur l'immigration, édition 1992 (Gouvernement du Québec).

Autres types de source

CARONTINI, Enrico. *Interférence et encyclopédie - Notes à propos de la théorie d'abduction chez Ch. S. Peirce et de son usage sémiotique ,* 1988, Montréal.

LEONETTI, Taboada. *Stratégies identitaires et minorités dans les sociétés pluriethniques.*, Paris, URMIS - CNRS, Revue internationale d'action communautaire.

Table des matières

Cet ouvrage publié par
Balzac-Le Griot éditeur
a été achevé d'imprimer
le 15ème jour de mai
de l'an mil neuf cent quatre-vingt-dix-huit
sur les presses de
Veilleux impression à demande Inc.
à Boucherville